ARTHUR CONAN DOYLE

SHERLOCK HOLMES

O SIGNO DOS QUATRO

ARTHUR CONAN DOYLE

SHERLOCK HOLMES

O SIGNO DOS QUATRO

Tradução
Monique D'Orazio

TriCaju

Esta é uma publicação Tricaju, selo exclusivo da Ciranda Cultural
© 2021 Ciranda Cultural Editora e Distribuidora Ltda.

Traduzido do original em inglês
The Sign of the Four

Texto
Arthur Conan Doyle

Tradução
Monique D'Orazio

Diagramação
Project Nine Editorial

Revisão
Project Nine Editorial
Edson Nakashima

Produção editorial e projeto gráfico
Ciranda Cultural

Design de capa
Wilson Gonçalves

Texto publicado integralmente no livro *Sherlock Holmes - O signo dos quatro*, em 2019, na edição em brochura pelo selo Principis da Ciranda Cultural. (N.E.)

Dados Internacionais de Catalogação na Publicação (CIP) de acordo com ISBD

D754s   Doyle, Arthur Conan, 1859-1930

            Sherlock Holmes - O signo dos quatro / Arthur Conan Doyle ; traduzido por Monique D'Orazio. - Jandira, SP : Tricaju, 2021.
            160 p. ; 15,5cm x 22,6cm. - (Sherlock Holmes)

            Tradução de: The sign of the four
            ISBN: 978-65-89678-35-9

            1. Literatura inglesa. 2. Ficção. I. D'Orazio, Monique. II. Título. III. Série.

2021-707   CDD 823.91
                                                           CDU 821.111-3

Elaborado por Odilio Hilario Moreira Junior - CRB-8/9949

Índice para catálogo sistemático:
1.!   Literatura inglesa : ficção 823.91
2.!   Literatura inglesa : ficção 821.111-3

1ª edição em 2021
www.cirandacultural.com.br
Todos os direitos reservados.
Nenhuma parte desta publicação pode ser reproduzida, arquivada em sistema de busca ou transmitida por qualquer meio, seja ele eletrônico, fotocópia, gravação ou outros, sem prévia autorização do detentor dos direitos, e não pode circular encadernada ou encapada de maneira distinta daquela em que foi publicada, ou sem que as mesmas condições sejam impostas aos compradores subsequentes.

Sumário

A ciência da dedução — 7

A exposição do caso — 18

Em busca de uma solução — 25

A história do homem calvo — 32

A tragédia de Pondicherry Lodge — 45

Sherlock Holmes faz uma demonstração — 55

O episódio do barril — 66

Os irregulares de Baker Street — 81

Uma pausa na cadeia — 94

O fim do selvagem — 107

O grande tesouro de Agra — 119

A estranha história de Jonathan Small — 127

Capítulo 1

• A CIÊNCIA DA DEDUÇÃO •

Sherlock Holmes pegou o frasco de cima da lareira, e a seringa hipodérmica, do elegante estojo de marroquim. Com os dedos longos, brancos e nervosos, ajustou a agulha delicada e dobrou para trás a manga esquerda da camisa. Por algum tempo, seus olhos pousaram cuidadosamente sobre o antebraço musculoso e o punho, pontilhados e marcados pela cicatriz de inúmeras perfurações. Por fim, espetou a ponta no lugar certo, pressionou o pequeno êmbolo, e se afundou na poltrona forrada de veludo com um longo suspiro de satisfação.

Três vezes ao dia, durante muitos meses, eu havia testemunhado tal cena, porém o hábito não me conformava. Pelo contrário, dia a dia eu ficava mais irascível com a visão, e minha consciência me incomodava todas as noites com o pensamento de que me faltava a coragem para protestar. De novo e de novo eu registrara um voto de que deveria livrar minha alma desse assunto, mas havia algo indiferente e frio nos modos do meu companheiro que o tornavam uma pessoa de que ninguém pensaria em se aproximar com tal liberdade. Suas grandes faculdades, seus modos magistrais, e a experiência que eu tivera de suas muitas qualidades extraordinárias – tudo me inibia e me impedia de contrariá-lo.

No entanto, à tarde, talvez pelo Beaune que eu havia bebido com o almoço ou pela exasperação adicional produzida pela deliberação extrema de sua atitude, eu de repente senti que não poderia mais suportar.

– Qual é hoje? – perguntei. – Morfina ou cocaína?

Languidamente, ele levantou os olhos do volume encadernado em couro que abrira.

– É cocaína – disse –, uma solução de sete por cento. Gostaria de experimentar?

– Não, de forma alguma – respondi, bruscamente. – Meu corpo ainda não superou a campanha afegã. Não posso me dar ao luxo de fazer nenhum esforço adicional.

Ele sorriu para minha veemência.

– Talvez você esteja certo, Watson. Creio que a influência é má para o físico. Acho-a, no entanto, capaz de um estímulo tão transcendente e esclarecedor para a mente, que o efeito secundário é uma questão de importância menor.

– Mas considere! – pedi, com sinceridade. – Considere o custo! Seu cérebro pode, como você diz, ficar desperto e excitado, mas é um processo mórbido e patológico que envolve o aumento da mudança nos tecidos e pode, ao fim, deixá-lo com uma fraqueza permanente. Você também já conhece a reação negra que recai sobre você depois. Decerto, o jogo não vale a pena. Por que, por um mero prazer passageiro, você arriscaria a perda dessas grandes habilidades com as quais foi agraciado? Lembre-se de que falo não apenas como um companheiro ao outro, mas como um médico a um homem por cuja saúde ele é, em certa medida, responsável.

• A CIÊNCIA DA DEDUÇÃO •

Ele não pareceu ofendido. Pelo contrário, uniu a ponta dos dedos e apoiou os cotovelos nos braços da poltrona, como alguém que tem gosto pela conversa.

– Minha mente rebela-se contra a estagnação – confidenciou. – Dê-me problemas, dê-me trabalho, dê-me o criptograma mais confuso ou a análise mais intrincada, e eu estarei na minha atmosfera própria; poderei, então, dispensar os estimulantes artificiais. Mas abomino a rotina maçante da existência. Imploro pela exaltação mental. Foi por isso que escolhi minha própria profissão, ou melhor, eu a criei, pois sou o único no mundo.

– O único detetive particular? – perguntei, levantando as sobrancelhas.

– O único detetive consultor particular – ele evidenciou. – Sou a última e mais alta corte de apelação na arte investigativa. Quando Gregson, Lestrade ou Athelney Jones não sabem mais como proceder, o que, por sinal acontece com frequência, a questão me é apresentada. Eu examino os dados, como um perito, e pronuncio a opinião de um especialista. Não reivindico nenhum crédito em tais casos. Meu nome não figura em nenhum jornal. O trabalho em si, o prazer de encontrar um campo para meus poderes peculiares, é minha maior recompensa. Mas você presenciou meus métodos de trabalho no caso de Jefferson Hope.

– Sim, é verdade – disse eu, cordialmente. – Nunca fiquei tão impressionado com nada na minha vida. Eu mesmo dei corpo ao caso numa pequena brochura com o título um tanto fantástico de *Um estudo em vermelho*.

Holmes balançou a cabeça com tristeza.

– Dei uma olhada – iniciou. – Sinceramente, não posso felicitá-lo a respeito. A detecção é, ou deveria ser, uma ciência exata, e deve ser tratada da mesma forma fria e sem emoção. Você tentou tingi-la de romantismo, o que produz o mesmo efeito que se tivesse incluído uma história de amor ou uma fuga amorosa dentro da quinta proposição de Euclides.

— Mas o romance estava presente — protestei. — Eu não poderia temperar os fatos.

— Alguns fatos devem ser suprimidos ou, pelo menos, deve-se observar um sentido de proporção justa ao se tratar deles. O único ponto no caso que mereceu menção foi o curioso raciocínio analítico dos efeitos às causas por meio do qual obtive sucesso em desvendar o mistério.

Fiquei irritado com essa crítica a uma obra que fora especialmente concebida para agradá-lo. Confesso, além disso, que também me irritei com o egocentrismo que parecia exigir, a cada linha do meu panfleto, a obrigação de ser dedicada às suas ações especiais. Mais de uma vez, durante os anos em que vivi com ele em Baker Street, observei uma pequena vaidade subjacente nos modos quietos e didáticos do meu companheiro. Não fiz nenhum comentário, no entanto, mas fiquei cuidando da minha perna ferida. Havia sido atravessada por um projétil de jezail algum tempo antes, e, embora não me impedisse de caminhar, causava-me uma dor desgastante cada vez que o clima mudava.

— Minha prática estendeu-se recentemente para o continente — informou Holmes, depois de um tempo, enchendo de fumo o velho cachimbo de urze-branca. — Na semana passada, fui consultado por François Le Villard, que, como você provavelmente sabe, entrou em evidência no serviço francês de detetives. Ele tem todo o poder celta da intuição rápida, mas lhe falta a ampla gama de conhecimento exato que é essencial

• A CIÊNCIA DA DEDUÇÃO •

para os desenvolvimentos mais elevados de sua arte. O caso versava sobre um testamento e possuía algumas características de interesse. Fui capaz de lhe indicar dois processos similares, um em Riga, em 1857, e outro em St. Louis, em 1871, que lhe sugeriram a verdadeira solução. Aqui está a carta que recebi esta manhã em reconhecimento à minha ajuda. – Ele jogou, enquanto falava, uma página amarrotada de papel de carta estrangeiro. Passei os olhos sobre a folha, captando uma profusão de notas de admiração, com dispersos *magnifiques*, *coup-de-maîtres* e *tours-de-force*, todos atestando a admiração fervorosa do francês.

– Ele fala como um aluno a seu mestre – reconheci.

– Ah, ele exagera a importância da minha assistência – redarguiu Sherlock Holmes, despreocupado. – Ele tem dons próprios consideráveis. Possui duas das três qualidades necessárias para o detetive ideal. Tem o poder da observação e o da dedução. Só lhe falta o conhecimento; mas esse pode vir com o tempo. Ele agora está traduzindo minhas pequenas obras para o francês.

– Suas obras?

– Oh, você não sabia? – exclamou com uma risada. – Sim, sou o culpado de várias monografias. São todas sobre assuntos técnicos. Aqui, por exemplo, está uma: *Sobre a distinção entre as cinzas de vários tipos de tabaco*. Nela eu enumero cento e quarenta tipos de charuto, cigarro e tabaco de cachimbo, com gravuras coloridas para ilustrarem a diferença nas cinzas. É um ponto que continuamente ressurge nos julgamentos criminais, e que, às vezes, é de suprema importância como pista. Se você pode afirmar em definitivo, por exemplo, que um assassinato foi cometido por um homem que fumava um *lunkah* indiano, isso obviamente estreita o campo de pesquisa.

Para o olho treinado, há tanta diferença entre as cinzas negras de um tabaco Trichinopoly e a lanugem branca de um tabaco *bird's-eye*, como há entre um repolho e uma batata.

– Você tem um talento extraordinário para minúcias – comentei.

– Aprecio sua importância. Aqui está minha monografia sobre o traçado das pegadas, com algumas observações sobre os usos de gesso de Paris como um preservador da impressão. Aqui, também, há um pequeno trabalho curioso sobre a influência de cada ofício para o formato da mão, com litotipos das mãos de telheiros, marinheiros, corticeiros, tipógrafos, tecelões e polidores de diamante. Essa é uma questão de grande interesse prático para o detetive científico... Em particular em casos de corpos não reclamados, ou para descobrir os antecedentes dos criminosos. Mas estou cansando você com meu passatempo.

– Nem um pouco – respondi, com sinceridade. – É do meu maior interesse, especialmente desde que tive a oportunidade de observar a aplicação prática. Mas você falou há pouco de observação e dedução. De fato, até determinado ponto, um implica o outro.

– Ora, dificilmente – ele respondeu, recostando-se luxuosamente na poltrona, e produzindo grossas espirais azuladas com o cachimbo. – Por exemplo, a observação me mostra que você foi ao correio de Wigmore Street esta manhã, mas a dedução me informa que você foi até lá despachar um telegrama.

– Certo! – concordei. – Certo nos dois pontos! Mas confesso que não vejo como você chegou a isso. Foi um impulso repentino da minha parte, não mencionei a ninguém.

– É a própria simplicidade – observou ele, rindo da minha surpresa. – Tão absurdamente simples que uma explicação é supérflua; e ainda pode servir para definir os limites da observação e da dedução. A observação me diz que você tem uma pequena mancha avermelhada no peito do pé. Logo em frente à agência da Wigmore Street, tiraram o calçamento e, com isso, jogaram terra vermelha de tal forma que é difícil não pisar nela ao entrar na agência. A terra é de um tom avermelhado peculiar, não encontrado, até onde eu sei, em nenhum outro lugar na vizinhança. Isso tudo é observação. O resto é dedução.

– Então como deduziu o telegrama?

– Ora, é claro que eu sabia que você não tinha escrito uma carta, pois fiquei aqui sentado na sua frente durante toda a manhã. Também vejo em sua escrivaninha aberta ali que você tem uma folha de selos e um grosso maço de cartões-postais. Para que então você iria ao correio, senão para um telegrama? Elimine todos os outros fatores e o que sobra deve ser a verdade.

– Nesse caso, certamente é – respondi, depois de pensar um pouco. – A questão, como diz, porém, é das mais simples. Você me consideraria impertinente se eu pusesse suas teorias à uma prova mais severa?

– Pelo contrário – ele respondeu –, isso me impediria de tomar uma segunda dose de cocaína. Eu ficaria muito contente de analisar qualquer problema que você possa me apresentar.

– Ouvi você dizer que é difícil um homem ter qualquer objeto de uso diário, sem que deixe nele a marca de sua individualidade, de tal forma que um observador treinado pode lê-la. Agora, tenho aqui um relógio que caiu em minhas mãos recentemente. Teria a bondade de me dar sua opinião sobre a personalidade ou os hábitos do falecido proprietário?

Entreguei-lhe o relógio com uma ligeira sensação de divertimento no coração, pois o teste era, como eu pensava, impossível, e eu pretendia que fosse uma lição contra o tom um pouco dogmático que ele assumia em certas ocasiões. Ele equilibrou o relógio na mão, fitou o visor, abriu a parte de trás e analisou a engrenagem, primeiro a olhos nus e depois com uma poderosa lente convexa. Mal pude deixar de sorrir para seu rosto cabisbaixo quando ele por fim fechou a tampa e o devolveu a mim.

– Quase não existem dados – observou. – O relógio foi limpo recentemente, o que me priva dos fatos mais sugestivos.

– Você está certo – respondi. – Foi limpo antes de me ser enviado.

No meu coração, acusei meu companheiro de apresentar uma desculpa muito esfarrapada e impotente para encobrir seu fracasso. Que dados ele poderia esperar de um relógio sujo?

– Embora insatisfatória, minha pesquisa não foi totalmente infrutífera – observou ele, fitando o teto com olhos sonhadores e sem brilho. – Sujeito à sua correção, eu julgaria que o relógio pertencia a seu irmão mais velho, que o herdou de seu pai.

– Isso você crê, sem dúvida, pelo H. W. na parte de trás?

– Isso mesmo. O W. sugere seu sobrenome. O relógio data de quase cinquenta anos atrás, e as iniciais são tão antigas quanto o relógio: assim, foi feito para a última geração. Joias costumam ser passadas para o filho mais velho, que geralmente têm o mesmo do pai. Seu pai, se bem me lembro, faleceu há muitos anos. Assim, portanto, o relógio está nas mãos de seu irmão mais velho.

– Certo, até agora – disparei. – Mais alguma coisa?

– Era um homem de hábitos desordenados... muito desordenados e descuidados. Foram-lhe deixadas boas perspectivas, mas as jogou fora, viveu por algum tempo na pobreza, com curtos intervalos ocasionais de prosperidade e, finalmente, dado à bebida, ele morreu. Isso é tudo o que posso presumir.

Saltei da cadeira e, impaciente, manquei pela sala, com uma considerável amargura no meu coração.

– Isso foi indigno da sua parte, Holmes – externei. – Não acreditava que você pudesse ter descido a esse ponto. Fez inquéritos sobre a história do meu pobre irmão, e agora finge deduzir esse conhecimento de alguma forma fantasiosa. Não espere que eu acredite que você leu tudo isso nesse relógio velho! É cruel, e, para falar francamente, tem um toque de charlatanismo.

– Meu caro doutor – redarguiu, gentilmente –, suplico que aceite minhas desculpas. Enxergando o assunto como um problema abstrato, esqueci-me como algo poderia ser pessoal e doloroso para você. Garanto-lhe, entretanto, que nunca nem soube que você tinha um irmão até que tivesse me entregado o relógio.

– Então como, em nome de tudo o que é maravilhoso, você conseguiu esses fatos? Estão absolutamente corretos em cada detalhe.

– Ah, foi sorte. Eu só pude dizer o que havia no rol das probabilidades. Não esperava de todo ser tão preciso.

– Mas não foi mero palpite?

– Não, não: eu nunca palpito. É um hábito chocante, até mesmo destrutivo para a faculdade lógica. O que lhe parece estranho só é assim porque você não acompanhou minha linha de raciocínio ou observou os pequenos fatos sobre os quais as inferências mais amplas podem depender. Por exemplo, eu comecei afirmando que seu irmão era descuidado. Quando se observa a parte inferior da carcaça do relógio, nota-se que não apenas foi amassada em dois pontos, mas foi cortada e marcada em toda parte, do hábito de guardá-lo no mesmo bolso com outros objetos duros, como moedas e chaves. Certamente não é nenhuma grande façanha supor que um homem que trata um relógio de cinquenta guinéus dessa forma deve ser um homem descuidado. Tampouco é uma inferência muito rebuscada que o herdeiro de um artigo de tal valor esteja muito bem provido em outros aspectos.

Assenti, para mostrar que acompanhava o raciocínio.

– É muito habitual que os penhoristas na Inglaterra, quando pegam um relógio, inscrevam dentro da carcaça o número do tíquete usando um alfinete. É mais prático do que uma etiqueta, pois não há qualquer risco de o número se perder, ou de ser colado em objeto errado. Não há menos do que quatro números desse tipo do lado de dentro, visíveis com a minha lente. Inferência: seu irmão estava sempre com a corda no pescoço. Segunda inferência: tinha rajadas ocasionais de prosperidade, ou não poderia ter resgatado o penhor. Por fim, peço que olhe a placa interna, que contém o buraco da chave. Olhe para os milhares de arranhões ao redor. Marcas onde a chave deslizou. Que chave de homem sóbrio poderia ter feito essas ranhuras? Mas você nunca verá um relógio de bêbado sem elas. Ele dá corda à noite, e deixa esses vestígios de mão trêmula. Onde está o mistério em tudo isso?

– É claro como o dia – respondi. – Lamento a injustiça que lhe fiz. Eu deveria ter tido mais fé em sua extraordinária faculdade. Posso perguntar se você tem alguma investigação profissional em curso no momento?

– Nenhuma. Daí a cocaína. Não posso viver sem trabalho cerebral. Para o que mais se pode viver? Vá até a janela ali. Já viu um mundo mais lúgubre, desanimado e inútil? Veja como o nevoeiro amarelo rodopia na rua e se afasta das casas de cor parda. O que pode ser mais irremediavelmente prosaico e material? Qual é o sentido de ter poderes, doutor, quando não se tem campo no qual exercê-los? O crime é lugar-comum, a existência é lugar-comum, e nenhuma qualidade, salvo os lugares-comuns, tem qualquer função na terra.

Eu tinha aberto a boca para responder a esse discurso, quando uma batida seca se fez ouvir, e nossa senhoria entrou, carregando um cartão sobre uma bandeja de bronze.

– Senhor, uma jovem veio lhe ver – disse ela, dirigindo-se a meu companheiro.

– Srta. Mary Morstan – ele leu. – Hum! Não me lembro do nome. Peça à jovem para subir, sra. Hudson. Não vá, doutor. Eu preferiria que permanecesse.

Capítulo 2

• A EXPOSIÇÃO DO CASO •

A srta. Morstan entrou na sala com um passo firme, com a postura e os modos formais. Era uma jovem loira, pequena, delicada, bem enluvada e vestida com o mais perfeito bom gosto. Havia, no entanto, uma simplicidade e singeleza em seu traje, que me ofereceu a sugestão de recursos limitados. O vestido era um bege-acinzentado sombrio, liso e sem bordados, e ela usava um pequeno turbante do mesmo tom opaco, aliviado apenas pelo toque de uma pena branca na lateral. Seu rosto não tinha nem a regularidade das feições, nem a beleza da tez, mas a expressão era doce e amigável, e seus grandes olhos azuis eram singularmente compassivos e cheios de espírito. Com uma experiência sobre mulheres que se estendia a muitas nações e três continentes diferentes, eu nunca vira um rosto que oferecesse promessa mais clara da natureza sensível e refinada. Fui compelido a observar que, conforme ela se acomodava no assento oferecido por Sherlock Holmes, seu lábio tremeu, sua mão estremeceu, e ela mostrou todos os sinais de intensa agitação interna.

– Vim até aqui, sr. Holmes – começou ela –, pois uma vez o senhor permitiu à minha empregadora, a sra. Cecil Forrester, desvendar uma pequena complicação doméstica. Ela ficou muito impressionada por sua bondade e suas habilidades.

– A sra. Cecil Forrester – ele repetiu, pensativo. – Acredito que fui ligeiramente útil a ela. O caso, no entanto, conforme eu me lembro, foi muito simples.

– Não foi o que ela pensou. Mas pelo menos o senhor não pode dizer o mesmo do meu. Não consigo imaginar nada mais estranho, mais absolutamente inexplicável, do que a situação na qual me encontro.

Holmes esfregou as mãos, e seus olhos reluziram. Ele se inclinou para frente na cadeira com uma expressão de extraordinária concentração em feições definidas e aquilinas.

– Exponha o caso – pediu ele, em tons ágeis e objetivos.

Senti que minha posição era constrangedora.

– Certamente me darão licença – presumi, levantando-me da cadeira.

Para minha surpresa, a moça ergueu a mão enluvada para me deter.

– Se seu amigo – a senhorita disse – puder fazer a gentileza de esperar, ele pode ser de inestimável valor para mim.

Sentei-me de volta na cadeira.

– Brevemente – ela continuou –, os fatos são estes: meu pai era um soldado do regimento indiano que me enviou para casa quando eu era ainda criança. Minha mãe tinha morrido, e eu não tinha parentes na Inglaterra. Fui colocada, entretanto, num colégio interno confortável em Edimburgo, e lá eu fiquei até completar dezessete anos. Em 1878, meu pai, um capitão sênior de seu regimento, obteve doze meses de licença e voltou para casa. Ele me telegrafou de Londres dizendo que chegara em segurança, e me deu instruções para encontrá-lo o quanto antes em seu endereço no Langham Hotel. A mensagem, se me lembro, era cheia de bondade e amor. Ao chegar a Londres, me dirigi ao Langham e fui informada de que o capitão Morstan estava hospedado ali, mas que tinha saído na noite anterior e ainda não regressara. Esperei o dia todo sem notícias dele. Naquela noite, atendendo ao conselho do gerente do hotel, eu comuniquei o desaparecimento à polícia e, na manhã seguinte, colocamos anúncios em todos os jornais. Nossas consultas não levaram a nenhum resultado; e, desde aquele dia, nenhuma palavra foi ouvida do meu pobre pai. Ele voltou para casa com o coração cheio de esperança, para encontrar um pouco de paz, de conforto, mas, em vez disso... – Ela colocou a mão sobre a garganta, e um soluço sufocante interrompeu a frase.

– A data? – perguntou Holmes, abrindo a caderneta.

– Ele desapareceu em 3 de dezembro de 1878... quase dez anos atrás.

– A bagagem?

– Permaneceu no hotel. Não há nada nela que possa sugerir uma pista... algumas roupas, alguns livros e um número considerável de curiosidades das Ilhas Andamã. Ele era um dos oficiais encarregados da guarda dos prisioneiros de lá.

– Ele tinha amigos na cidade?

– Apenas sabemos de um, o major Sholto, do mesmo regimento, o trigésimo quarto da infantaria de Bombaim. O major havia entrado para a reserva pouco tempo antes, e vivia em Upper Norwood. Chegamos a nos comunicar com ele, claro, porém ele nem sabia que seu oficial companheiro estava na Inglaterra.

– Um caso singular – apontou Holmes.

• A EXPOSIÇÃO DO CASO •

– Ainda não lhe descrevi a parte mais singular. Cerca de seis anos atrás, para ser exata, no dia 4 de maio de 1882, um anúncio apareceu no *Times*, pedindo o endereço da srta. Mary Morstan e declarando que seria do interesse dela. Não havia nome ou endereço indicado. Na época, eu tinha acabado de entrar na família da sra. Cecil Forrester, na função de governanta. Seguindo seu conselho, publiquei meu endereço na coluna de anúncios. No mesmo dia, chegou pelo correio uma pequena caixa de papelão endereçada a mim, na qual descobri conter uma pérola muito grande e lustrosa. Nenhuma palavra foi adicionada. Desde então, todos os anos, por volta da mesma data, sempre aparecia uma caixa similar, contendo uma pérola similar, sem nenhuma pista do remetente. Um especialista declarou que se tratava de uma variedade de valor considerável. Vejam por si mesmos que são muito bonitas – ela abriu a caixa achatada ao falar, e me mostrou seis das pérolas mais belas que eu já vira.

– Seu depoimento é muito interessante – comentou Sherlock Holmes. – Alguma coisa lhe ocorreu?

– Sim, e não antes de hoje. É por isso que vim vê-lo. Esta manhã, recebi esta carta, que, talvez, o senhor mesmo possa ler.

– Obrigado – disse Holmes. – O envelope também, por favor. Carimbo do correio em Londres, data 7 de julho... Hum! Marca de polegar masculino no canto... provavelmente do carteiro. Papel da melhor qualidade. Envelopes de seis pence o pacote. Homem peculiar em sua escolha de papelaria. Nenhum endereço. "Esteja no terceiro pilar da esquerda do lado de fora do *Lyceum Theatre* esta noite, às sete horas. Se estiver desconfiada, traga dois amigos. Você é uma mulher injustiçada, mas lhe será feita justiça. Não traga a polícia. Se trouxer, tudo terá sido em vão. Seu amigo desconhecido." Bem, decerto é um belo misteriozinho. O que pretende fazer, srta. Morstan?

– É exatamente o que quero lhe perguntar.

– Então é certo que devemos ir. A senhorita e... sim, ora, o dr. Watson é o homem indicado. Seu correspondente diz dois amigos. Ele e eu já trabalhamos juntos antes.

– Mas ele iria? – perguntou ela, com um toque apelativo na voz e na expressão.

– Iria com muito orgulho e felicidade – disse eu, com fervor –, se puder ser de alguma serventia.

– Os senhores são muito gentis – ela declarou. – Tenho levado uma vida muito reservada, e não tenho amigos a quem possa apelar. Se estiver aqui às seis horas seria bom, imagino?

– Não depois disso – ressaltou Holmes. – Há outro ponto, no entanto. Essa caligrafia é a mesma que aparece nos endereços das caixas de pérola?

– Estou com elas aqui – respondeu, mostrando-nos meia dúzia de pedaços de papel.

– A senhorita certamente é uma cliente modelo. Tem a intuição correta. Vejamos agora.

Holmes espalhou os papéis sobre a mesa e disparou pequenos olhares de um para o outro.

– São caligrafias disfarçadas, exceto a carta – avaliou ele, de imediato –, mas não pode haver questionamento quanto à autoria. Veja como o irreprimível "e" grego se destaca e também o volteio do "s" final. São, indubitavelmente, feitos pela mesma pessoa. Eu não gostaria de estimular falsas esperanças, srta. Morstan, mas existe alguma semelhança entre esta caligrafia e a do seu pai?

– Nada poderia ser mais distinto.

– Eu esperava ouvir isso. Vamos esperá-la, então, às seis. Peço encarecidamente que me deixe ficar com os papéis, pois poderei investigar o assunto de antemão. São apenas três e meia. Então, *au revoir*.

– *Au revoir* – respondeu nossa visitante e, com um olhar iluminado e gentil para cada um de nós, ela recolocou a caixa de pérola no colo e foi embora apressada.

Parado à janela, ouvi-a descer a rua com passo ágil, até que o turbante cinzento com a pena branca era apenas uma mancha na multidão sombria.

– Que mulher mais atraente! – exclamei, virando-me para meu companheiro.

Ele havia acendido o cachimbo novamente e estava recostado na poltrona, com as pálpebras pesadas.

– Pois sim? – redarguiu, lânguido. – Não notei.

– Você é mesmo um autômato, uma máquina de calcular! – devolvi. – Às vezes, existe algo positivamente inumano em você.

Meu companheiro mostrou-me um sorriso gentil.

– É de suma importância – disse ele – não permitir que o julgamento seja enviesado por qualidades pessoais. Um cliente, para mim, é mera unidade, um fator, um problema. As qualidades emocionais são antagônicas ao raciocínio claro. Garanto-lhe que a mulher mais atraente que já vi foi enforcada por envenenar três criancinhas para obter o dinheiro do seguro, e o homem mais repulsivo que conheço é um filantropo que gastou quase um quarto de milhão com os pobres de Londres.

– Neste caso, entretanto...

– Nunca abra exceções. Uma exceção refuta a regra. Já teve a ocasião de estudar a personalidade por meio da caligrafia? O que diz dos rabiscos desse sujeito?

– É legível e regular – respondi. – Um homem que tem hábitos de negócio e personalidade um tanto forte.

Holmes sacudiu a cabeça.

– Olhe estas letras longas. Mal sobem em relação ao corpo comum do restante. Aquele "d" pode ser um "a", e o "l" pode ser um "e". Homens de personalidade sempre diferenciam as letras longas, por mais ilegível que possam escrever. Há um titubear no "k" e autoestima nas letras maiúsculas. Vou sair agora. Preciso obter algumas referências. Deixe-me lhe recomendar este livro, um dos mais notáveis já escritos. É *O martírio do homem*, de Winwood Reade. Devo regressar em uma hora.

Sentei-me à beira da janela com o livro em mãos, mas meus pensamentos estavam longe das especulações ousadas do escritor. Minha mente corria para nossa última visitante – seus sorrisos, os tons profundos de sua voz, o mistério estranho que envolvia sua vida. Se tinha dezessete anos à época do desaparecimento do pai, devia ter vinte e sete agora, uma doce idade, quando a juventude perdeu a autoconsciência e se tornou um pouco mais sóbria pela experiência. E assim fiquei pensando, até que pensamentos tão perigosos invadiram minha mente que corri para a escrivaninha e mergulhei furiosamente no mais recente tratado sobre patologias. O que se passava comigo, um cirurgião do exército com uma perna fraca e uma conta bancária ainda mais fraca, para se atrever a pensar em tais coisas? Ela era uma unidade, um fator; nada mais. Se meu futuro era negro, era melhor, com certeza, enfrentá-lo como um homem do que tentar clareá-lo com o mero fogo-fátuo da imaginação.

Capítulo 3

• EM BUSCA DE UMA SOLUÇÃO •

Já passava das cinco e meia da tarde quando Holmes retornou. Estava animado, ansioso e de muito bom humor – que, no seu caso, era alternado com episódios da mais negra depressão.

– Não existe nenhum grande mistério nessa questão – disse, ao pegar uma xícara de chá que eu lhe servira. – Os fatos parecem admitir apenas uma explicação.

– Ora! Você já resolveu o caso?

– Bem, seria demais afirmar isso. Mas já descobri uma informação sugestiva, é tudo. Na verdade, é *muito* sugestiva, embora ainda falte adicionar os detalhes. Acabei de descobrir, após consultar os arquivos de números anteriores do *Times*, que o major Sholto, de Upper Norwood, que por último pertencera ao trigésimo quarto regimento de infantaria de Bombaim, morreu no dia 28 de abril de 1882.

– Posso ser muito obtuso, Holmes, mas não consigo entender o que isso sugere.

– Não? Você me surpreende. Olhe por este ponto de vista, então: o capitão Morstan desaparece. A única pessoa em Londres que ele poderia ter visitado é o major Sholto. O major Sholto, por sua vez, nega ter ouvido falar que Morstan estava em Londres. Quatro anos depois, Sholto morre. *No espaço de uma semana após sua morte*, a filha do capitão Morstan recebe um presente valioso, e que se repete ano a ano, e agora culmina em uma carta que a descreve como uma mulher injustiçada. A que injustiça podem estar se referindo, se não a privação do pai? E por que os presentes começaram imediatamente após a morte de Sholto, a menos que o herdeiro soubesse alguma coisa do mistério e desejasse fazer uma compensação? Você tem alguma teoria alternativa que daria conta dos fatos?

– Mas que compensação estranha! E feita de maneira igualmente estranha! Então por que ele escreveria uma carta agora e não há seis anos? Novamente, a carta fala de oferecer justiça. Que justiça ela poderia receber? É demais supor que o pai ainda esteja vivo. No caso dela, não há outra justiça que se conheça.

– Há dificuldades; certamente há dificuldades – afirmou Sherlock Holmes, pensativo. – Mas nossa expedição esta noite vai resolver todas elas. Ah, aqui está o coche, e a srta. Morstan está nele. Estamos prontos? Então é melhor descermos, pois já passa um pouco da hora.

Peguei o chapéu e minha bengala mais pesada, no entanto observei Holmes tirar o revólver da gaveta e colocá-lo dentro do bolso. Estava claro que nosso trabalho aquela noite poderia ser sério.

A srta. Morstan estava escondida numa capa escura, e seu rosto delicado se mostrava sereno, porém pálido. Devia ser uma mulher de fibra se não sentia nenhuma inquietação diante da estranha empreitada na qual estávamos embarcando; apesar de tudo, seu autocontrole era perfeito, e ela respondeu prontamente às poucas perguntas adicionais que Sherlock Holmes lhe fez.

– O major Sholto era um amigo muito próximo de papai – acrescentou a moça. – Suas cartas eram cheias de alusões ao major. Ele e papai estavam no comando das tropas nas Ilhas Andamãs, por isso conviviam muito próximos. Aliás, um papel curioso foi encontrado na escrivaninha de papai, mas que ninguém foi capaz de compreender. Talvez não seja da menor importância, mas achei que o senhor gostaria de dar uma olhada, por isso o trouxe comigo. Aqui está.

Holmes desdobrou o papel com cautela e o alisou sobre o joelho. Em seguida, metodicamente, examinou-o por inteiro com a lente dupla.

– É um papel de manufatura nativa indiana – apontou. – Em algum momento, esteve pendurado em um quadro com alfinetes. O diagrama parece ser a planta de parte de um grande edifício com numerosos salões, corredores e passagens. Em um ponto está uma pequena cruz feita em tinta vermelha e, acima, está escrito "3.37 da esquerda", em grafite quase apagado. No canto esquerdo há um hieróglifo curioso parecido com quatro cruzes em uma linha com os braços se tocando. Ao lado, está escrito, em caracteres muito rústicos e grosseiros, "O signo dos quatro: Jonathan Small, Mahomet Singh, Abdullah Khan, Dost Akbar". Não, eu confesso que não vejo como isso acrescenta ao caso. Porém, é, evidentemente, um documento importante. Foi mantido com cuidado em uma carteira, pois um dos lados está tão limpo quanto o outro.

– Foi na carteira que o encontramos.

– Então o preserve com cuidado, srta. Morstan, pois pode se mostrar útil para nós. Começo a suspeitar de que esse assunto possa acabar sendo muito mais profundo e mais sutil do que supus ao início. Devo reconsiderar minhas ideias.

Ele se reclinou na cabine, e eu pude ver, por sua fronte enrugada e por seus olhos vagos, que estava em profundo pensamento. A srta. Morstan e eu conversamos, em voz muito baixa, sobre nossa presente expedição e o possível desfecho, mas nosso companheiro se manteve fechado em reserva impenetrável até o fim da viagem.

Era uma noite de setembro, ainda antes das sete horas, mas o dia havia sido sombrio, e uma bruma densa e úmida caía sobre a grande cidade. Nuvens cor de lama gotejavam tristemente sobre as ruas enlameadas. Pela Strand, os lampiões da rua eram apenas manchas nevoentas de luz difusa que projetavam um brilho circular sobre o pavimento escorregadio. Um brilho amarelo ofuscante se derramava das vitrines das lojas para o ar vaporoso e enfumaçado, e projetava uma iluminação sombria em constante movimento sobre a rua agitada. Havia, na minha mente, algo misterioso e fantasmagórico na procissão incessante de faces que atravessavam as estreitas barras de luz; rostos tristes e alegres, abatidos e felizes. Como todos os seres humanos, passavam depressa das sombras à luz, e em seguida de volta às sombras. Não costumo ficar impressionado, mas a noite feia e pesada se combinava ao objetivo estranho que nos engajara para me deixar nervoso e deprimido. Eu poderia ver pelo jeito da srta. Morstan que ela sofria do mesmo sentimento. Apenas Holmes conseguia se colocar acima de tais influências triviais. Ele segurava sua caderneta aberta sobre o joelho e, de tempos em tempos, rabiscava algarismos e anotações à luz da lanterna de bolso.

No *Lyceum Theatre*, as multidões já se formavam nas entradas laterais. Em frente, um fluxo contínuo de cabriolés e coches maiores chegavam sacudindo até ali, descarregavam homens com peitilhos e mulheres com xales e diamantes. Mal tínhamos alcançado o terceiro pilar, nosso ponto de encontro, quando um homem pequeno, moreno e apressado, em traje de cocheiro, aproximou-se de nós.

– São as pessoas que acompanham a srta. Morstan? – perguntou ele.

– Eu sou a srta. Morstan, e estes dois cavalheiros são meus amigos – disse ela.

Ele nos mirou com um par de olhos maravilhosamente penetrantes e questionadores.

– A senhorita me desculpe – o cocheiro falou com uma certa maneira submissa –, mas preciso pedir sua palavra de que nenhum dos seus companheiros é da polícia.

– Dou-lhe minha palavra – ela respondeu.

O cocheiro deu um assovio estridente, ao qual um moleque trouxe um coche e abriu a porta. O homem que se havia dirigido a nós subiu no assento do condutor, enquanto nos acomodávamos do lado de dentro. Mal tínhamos terminado quando o cocheiro estalou o chicote no cavalo e fomos puxados num ritmo furioso pelas ruas nevoentas.

A situação era curiosa. Estávamos sendo conduzidos a um lugar desconhecido, numa missão desconhecida. Ainda assim, nosso convite ou era uma completa farsa – o que era uma hipótese inconcebível –, ou tínhamos uma boa razão para pensar que assuntos importantes aconteceriam como fruto da nossa jornada. A postura da srta. Morstan era resoluta e contida como sempre. Aventurei-me em agradá-la e animá-la com minhas memórias do Afeganistão; mas, para falar a verdade, eu estava tão agitado por causa da nossa situação e tão curioso sobre nosso destino, que meus relatos saíram ligeiramente confusos.

Até hoje ela declara que lhe contei uma anedota comovente de como um mosquete espiou dentro da minha barraca na calada da noite, e como eu disparei contra ele um filhote de tigre de cano duplo. De início, eu ainda conservava alguma ideia de por qual direção estávamos seguindo; mas logo, quer fosse pelo nosso ritmo, quer fosse pela bruma ou pelo meu próprio conhecimento limitado de Londres, perdi a noção do espaço, e já não sabia mais nada, exceto que parecíamos estar seguindo um caminho muito longo. Sherlock Holmes não se confundiu em nenhum momento, porém, e continuava a murmurar os nomes dos lugares, conforme o cocheiro nos fazia sacudir ao longo de praças, entrando e saindo de ruas tortuosas.

– Rochester Row – disse ele. – Agora Vincent Square. Agora saímos na Vauxhall Bridge Road. Estamos seguindo para os lados de Surrey, pelo visto. Sim, foi o que pensei. Agora estamos na ponte. É possível vislumbrar o rio.

Tínhamos, de fato, avistado brevemente um pedaço do Tâmisa, com lampiões iluminando o curso largo da água silenciosa; mas nosso coche seguiu adiante, e logo estava serpenteando por um labirinto de ruas do outro lado.

– Wordsworth Road – afirmou meu companheiro. – Priory Road. Lark Hall Lane. Stockwell Place. Robert Street. Cold Harbor Lane. Nossa missão não parece estar nos levando a regiões de muito bom gosto.

Tínhamos, de fato, alcançado uma vizinhança questionável e proibitiva. Longas linhas de casas de tijolos opacos só eram aliviadas pelo clarão grosseiro e brilho vulgar das tavernas na esquina. Depois avistamos fileiras de sobrados, cada um com jardins em miniatura na frente, e depois novamente as linhas intermináveis de novas construções vistosas de tijolos:

os tentáculos monstruosos que a cidade gigante estava projetando sobre o campo. Enfim o coche parou na terceira casa em um novo conjunto de construções geminadas. Nenhuma das outras casas era habitada, e essa na qual paramos estava tão escura quanto as vizinhas, exceto por um único brilho na janela da cozinha. Ao batermos, entretanto, a porta foi imediatamente aberta por um criado hindu paramentado de turbante amarelo, roupas largas de cor branca e uma faixa amarela na cintura. Havia algo de estranha incongruência nessa figura oriental emoldurada por uma porta comum numa moradia suburbana de terceira categoria.

– O *sahib* os aguarda – alertou ele e, no instante em que falou, uma voz estridente pôde ser ouvida em algum cômodo interior.

– Mande-os entrar e vir até aqui, *khitmutgar* – gritou. – Traga-os aqui imediatamente.

Capítulo 4

• A HISTÓRIA DO HOMEM CALVO •

Seguimos o indiano por um corredor sórdido e vulgar, mal iluminado e com decoração ainda pior, até chegarmos a uma porta para a direita que ele escancarou. Uma réstia de luz amarela fluiu sobre nós, e no centro do clarão estava um homem com a cabeça muito comprida, um cabelo ruivo eriçado ao redor da nuca, e o topo calvo e lustroso, que se elevava ao redor dos poucos cabelos como o pico de uma montanha entre abetos. Quando se levantou, ele contorcia as mãos, e suas feições se mexiam incessantemente com movimentos bruscos, ora sorrindo, ora franzindo os olhos, mas nunca, nem por um instante, em repouso. A Natureza havia lhe dado um lábio caído, e uma fileira visível demais de dentes amarelos e irregulares, os quais ele lutava fracamente para esconder ao passar a mão o tempo todo sobre a metade inferior do rosto. A despeito da calvície indiscreta, o homem dava a impressão de juventude. Na verdade, tinha acabado de completar o trigésimo aniversário.

– Seu servo, srta. Morstan – repetia sem parar, numa voz fina e estridente. – Seu servo, senhores. Por favor, entrem no meu pequeno santuário. É diminuto, senhorita, mas decorado ao meu gosto. Um oásis de arte no deserto gritante do sul de Londres.

Ficamos todos perplexos com a aparência do aposento ao qual ele nos convidara. Naquela casa deplorável, ele parecia tão fora de lugar quanto um diamante de primeira num adorno de latão. As paredes eram cobertas pelas cortinas e tapeçarias mais ricas e mais vistosas, afastadas aqui e acolá para expor alguma pintura ricamente emoldurada ou um vaso oriental. O tapete era âmbar e preto, tão grosso e macio que o pé afundava prazerosamente como se num tapete de musgo. Duas grandes peles de tigre jogadas de través aumentavam a sugestão de luxo oriental, assim como fazia um enorme narguilé sobre um tapete no canto. Uma lanterna de prata em forma de pomba estava dependurada em um fio dourado quase invisível no centro da sala. Conforme ela queimava, enchia o ar com um perfume sutil e aromático.

– Sr. Thaddeus Sholto – disse o homenzinho, ainda inquieto e sorridente. – Esse é o meu nome. A dama é a srta. Morstan, é claro. E esses cavalheiros...

– Este é o sr. Sherlock Holmes, e este é o dr. Watson.

– Um médico, sim? – exclamou ele, muito animado. – Está com seu estetoscópio? Posso lhe perguntar... o senhor faria a bondade? Tenho sérias dúvidas quanto à minha válvula mitral, se puder fazer a imensa gentileza. Na aorta eu posso confiar, mas irei valorizar sua opinião sobre a mitral.

Ouvi seu coração, conforme solicitado, mas não fui capaz de encontrar nada errado, salvo o fato de que ele estava em um êxtase de medo, pois tremia da cabeça aos pés.

– Parece estar normal – atestei. – Não há motivo para inquietação.

– Faça a gentileza de desculpar minha ansiedade, srta. Morstan – ele acrescentou inquieto. – Minha saúde não é nada boa, e há muito tempo tenho suspeitas sobre essa válvula. Estou muito contente de saber que são injustificadas. Se o seu pai, srta. Morstan, houvesse se abstido de esforçar demais o coração, talvez estivesse vivo agora.

Eu poderia ter dado uma bofetada na cara do homem, de tão furioso que fiquei com a referência insensível e despreocupada a um assunto tão delicado. A srta. Morstan sentou-se, e seu rosto ficou branco até os lábios.

– Eu sabia no meu coração que ele estava morto – disse ela.

– Posso lhe dar todas as informações – acrescentou o homem –, mas não só: posso lhe fazer justiça, e é o que irei fazer, a despeito do que o irmão Bartholomew possa dizer. Estou muito contente por receber seus amigos aqui, não apenas como seus acompanhantes, mas também como testemunhas do que estou prestes a fazer e dizer. Nós três podemos enfrentar corajosamente o irmão Bartholomew, porém não devemos ter ninguém de fora; não a polícia, nem funcionários do governo. Podemos resolver tudo de forma satisfatória entre nós mesmos, sem nenhuma interferência. Nada poderia irritar mais o irmão Bartholomew do que qualquer publicidade.

Ele se sentou em um sofá baixo e piscou para nós interrogativamente com os olhos fracos e lacrimejantes.

– Da minha parte – esclareceu Holmes –, nada do que o senhor escolher dizer será passado para frente.

Assenti com a cabeça, em acordo.

– Muito bem! Muito bem! – alegrou-se. – Posso oferecer-lhe uma taça de Chianti, srta. Morstan? Ou Tokay? Não tenho outros vinhos. Devo abrir uma garrafa? Não? Bem, então, acredito que os senhores não fazem nenhuma objeção à fumaça de tabaco, ao odor balsâmico e leve do tabaco oriental. Estou um pouco nervoso, e considero meu narguilé um sedativo inestimável.

Ele aplicou uma vela à grande bacia, e a fumaça borbulhou alegremente pela água de rosas. Sentamos os três em um semicírculo, com a cabeça inclinada para frente, e o queixo sobre as mãos, enquanto o estranho e inquieto sujeitinho no centro, com sua cabeça alta e brilhante, baforava ansiosamente.

– Quando me decidi a estabelecer essa comunicação com a senhorita – começou ele –, poderia ter lhe dado meu endereço, mas temia que talvez desconsiderasse meu pedido e trouxesse consigo pessoas inconvenientes. Tomei a liberdade, portanto, de marcar um compromisso de tal forma que meu homem, Williams, pudesse vê-los primeiro. Tenho total confiança em sua discrição, e ele tinha ordens, caso não ficasse satisfeito, de não prosseguir com a questão. Perdoem as precauções, mas sou um homem de modos reservados e, posso dizer, refinados, e não existe nada mais antiestético do que um policial. Tenho uma repulsa natural por todas as formas de materialismo rústico. Raramente tomo contato com o povo. Vivo, como podem ver, em certa atmosfera de elegância. Posso me considerar um patrono das artes; é minha fraqueza. A paisagem é um genuíno Corot e, embora um conhecedor, talvez, possa colocar em dúvida aquele Salvador Rosa, não pode haver o menor questionamento sobre o Bouguereau. Tenho um fraco pela escola francesa moderna.

– Perdoe-me, sr. Sholto – interrompeu a srta. Morstan –, mas estou aqui atendendo ao seu pedido para receber uma informação que deseja me dar. É muito tarde, e eu gostaria que esta conversa fosse o mais breve possível.

– Na melhor das hipóteses levará algum tempo – respondeu ele –, pois certamente deveremos ir a Norwood ver o irmão Bartholomew. Devemos todos ir para tentarmos conseguir o melhor do irmão Bartholomew. Ele está muito zangado comigo por eu tomar o curso que me parece correto. Trocamos algumas palavras acaloradas noite passada. Os senhores não podem imaginar que sujeito terrível ele se torna quando está zangado.

– Para irmos a Norwood creio que é melhor partirmos agora – aventurei-me a comentar.

Ele riu até suas orelhas ficarem bem vermelhas.

– Isso não funcionaria! – exclamou. – Não sei o que ele faria se eu aparecesse com todos vocês tão repentinamente. Não, devo prepará-los, mostrar como enfrentá-lo. Em primeiro lugar, devo lhes dizer que há vários pontos na história que eu mesmo ignoro. Só posso lhes oferecer os fatos da forma como os conheço.

"Meu pai era, como devem ter imaginado, o major Sholto, que pertencera ao exército indiano. Ele entrou para a reserva há uns onze anos e veio morar em Pondicherry Lodge, em Upper Norwood. Havia prosperado na Índia, e trouxe consigo uma soma considerável de dinheiro, uma grande coleção de curiosidades valiosas e uma equipe de criados nativos. Com essas vantagens, ele comprou uma casa para si e viveu em grande luxo. Bartholomew, meu irmão gêmeo, e eu éramos seus únicos filhos."

"Lembro-me muito bem da sensação causada pelo desaparecimento do capitão Morstan. Lemos os detalhes nos jornais e, sabendo que ele fora amigo de nosso pai, discutíamos o caso livremente em sua presença. Ele costumava se juntar às nossas especulações sobre o que poderia ter acontecido. Nunca, nem por um instante, suspeitamos de que tivesse o segredo todo escondido em seu peito, isto é: que, entre todos os homens, apenas ele conhecesse o destino de Arthur Morstan."

"Sabíamos, entretanto, que algum mistério – algum perigo certo – mantinha nosso pai refém. Ele era sempre temeroso de sair sozinho, e sempre empregava dois pugilistas profissionais como porteiros em Pondicherry Lodge. Williams, que os trouxe até aqui esta noite, era um deles. Ele já foi o campeão peso-leve da Inglaterra. Nosso pai nunca nos dizia o que temia, mas tinha uma aversão pronunciada a homens com pernas de pau. Em certa ocasião, ele chegou a apontar o revólver para um homem de perna-de-pau que acabou se mostrando um comerciante inofensivo vendendo sua mercadoria. Tivemos que pagar uma grande soma para abafar o caso. Meu irmão e eu costumávamos pensar que não passava de um mero capricho do meu pai, mas os eventos desde então nos levaram a mudar de opinião."

"No início de 1882, meu pai recebeu uma carta da Índia, que lhe causou um grande choque. Quase desmaiou na mesa de café da manhã quando a abriu e, daquele dia em diante, ele adoeceu e definhou até morrer. Do que se tratava a carta, nunca pudemos descobrir, mas vi, quando ele a segurava, que era curta e escrita em caligrafia rabiscada. Durante anos, ele sofreu de uma dilatação do baço, mas agora piorava depressa, até que, no fim de abril, fomos informados de que ele estava além de qualquer esperança e que desejava nos falar pela última vez."

"Quando entramos em seu quarto, ele estava apoiado em travesseiros e respirava pesado. Suplicou que fechássemos a porta e que subíssemos um de cada lado da cama. Depois, agarrando nossas mãos, ele nos fez uma declaração notável, em uma voz embargada tanto pela emoção como pela dor. Vou tentar transmitir-lhes as palavras exatas."

"'Tenho apenas uma coisa', disse ele, 'que pesa na minha mente neste momento supremo. Foi o tratamento que dispensei à órfã do pobre Morstan. A ganância amaldiçoada, que foi meu pecado constante ao longo de toda a vida, privou-a de pelo menos metade do tesouro que deveria ter sido seu. E, ainda assim, eu mesmo não usei nada dele; coisa tão cega e tola é a avareza. O mero sentimento de posse me foi tão caro que eu não suportava a ideia de dividir a fortuna com mais ninguém. Veja o terço de pérolas ao lado da garrafa de quinino. Mesmo que eu não suporte me separar dele, mesmo assim, peguei-o com o propósito de enviar a ela. Vocês, meus filhos, devem lhe dar uma parcela justa do tesouro de Agra. Mas não lhe enviem nada, nem mesmo o terço, até eu partir. Afinal, homens já ficaram tão mal como estou agora e se recuperaram.'"

"'Vou lhes dizer como Morstan morreu', continuou ele. 'Por muitos anos ele sofrera de um coração fraco, mas escondia isso de todos. Apenas eu sabia. Na Índia, ele e eu, devido a uma notável cadeia de circunstâncias, tomamos posse de um tesouro considerável. Trouxe-o comigo para a Inglaterra. Na noite em que chegou, Morstan veio diretamente até aqui para requisitar sua parte; ele veio andando da estação e foi admitido aqui pelo meu fiel Lal Chowdar, agora falecido. Morstan e eu tínhamos diferenças de opinião quanto à divisão do tesouro, e acabamos discutindo. Ele saltara da cadeira com um paroxismo de raiva e, então, de repente, pressionou a mão na lateral do corpo, seu rosto assumiu uma tonalidade escura, e Morstan caiu para trás, ao que cortou a cabeça na quina da arca do tesouro. Quando me aproximei, descobri, para meu horror, que ele estava morto."'

"'Por um longo tempo eu fiquei distraído, perguntando-me o que deveria fazer. Meu primeiro impulso foi, claro, chamar ajuda; mas eu não conseguia deixar de pensar em todas as chances de que eu acabasse acusado de assassinato. A morte no momento de uma discussão, o ferimento na cabeça; tudo seria jogado contra mim. É bom lembrar que uma investigação oficial não poderia ser feita sem que se levantassem alguns fatos sobre o tesouro, sobre os quais eu estava particularmente ansioso para manter segredo. Ele me dissera que nenhuma alma sobre a terra sabia aonde ele fora. E não haveria qualquer necessidade de alguma alma ficar sabendo."'

"'Eu ainda estava ponderando sobre o assunto quando, ao olhar para cima, vi meu criado, Lal Chowdar, parado na porta. Ele entrou sorrateiramente e trancou a porta atrás de si. "Não tema, *sahib*", ele disse. "Ninguém precisa saber que o senhor o matou. Vamos escondê-lo, quem saberá?". Ao que eu respondi: "Não fui eu que o matei". Lal Chowdar sacudiu a cabeça e sorriu. "Eu ouvi tudo, *sahib*. Ouvi a discussão e ouvi a pancada. Mas meus lábios estão selados. Todos estão dormindo na casa. Vamos nos livrar dele juntos." Isso foi o suficiente para eu tomar minha decisão. Se meu próprio criado não acreditava na minha inocência, como eu poderia ter esperanças de prová-la diante de doze comerciantes tolos em uma bancada de júri? Lal Chowdar e eu nos livramos do corpo naquela mesma noite, e, dentro de alguns dias, os jornais de Londres estavam repletos do misterioso desaparecimento do capitão Morstan. Vejam, pelo que estou dizendo, que não posso ser culpabilizado na questão. Minha culpa reside no fato de ocultarmos não apenas o corpo, mas também o tesouro, e que eu fiquei tanto com a parcela de Morstan quanto com a minha. Desejo que vocês, portanto, restituam-no. Encostem o ouvido na minha boca. O tesouro está escondido em...' Nesse instante, uma mudança horrível aconteceu em sua expressão; seus olhos fitavam desvairados, sua mandíbula ficou frouxa, e ele gritou numa voz que eu nunca esquecerei: 'Não o deixem entrar! Pelo amor de Deus, não o deixem entrar!'. Ambos olhamos para a janela atrás de nós, onde ele mantinha o olhar fixo. Um rosto nos encarava em meio à escuridão. Víamos a ponta esbranquiçada do nariz onde tocava o vidro. Era um rosto cabeludo e barbudo, com olhos cruéis e uma expressão de malevolência concentrada. Meu irmão e eu corremos para a janela, porém o homem desaparecera. Quando retornamos para meu pai, sua cabeça havia caído e seu coração não mais batia."

"Procuramos no jardim naquela noite, mas não encontramos sinal do intruso, exceto debaixo da janela: uma única pegada era visível no canteiro de flor. Não fosse por aquele único traço, poderíamos ter pensado que nossa imaginação havia conjurado aquele rosto feroz. Logo, entretanto, tivemos outra prova, mais certeira, de que entidades secretas estavam trabalhando ao nosso redor. A janela no quarto de meu pai foi encontrada aberta pela manhã; suas cômodas e caixas haviam sido reviradas, e sobre seu peito estava fixado um pedaço rasgado de papel, com as palavras 'O signo dos quatro' rabiscadas. O que a frase significava, ou quem era o visitante secreto, nunca ficamos sabendo. Até onde podemos avaliar, nenhuma das propriedades do meu pai fora, de fato, roubada, embora tudo estivesse bagunçado. Meu irmão e eu, naturalmente, associamos esse incidente peculiar ao medo que assombrou meu pai durante a vida, mas ainda nos é um completo mistério."

O homenzinho parou para reacender o narguilé e baforou pensativo por alguns instantes. Todos ficamos sentados, absortos, ouvindo sua extraordinária narrativa. Diante do breve relato da morte de seu pai, a srta. Morstan se tornara branca como um fantasma, e por um instante temi que ela estivesse prestes a desmaiar. No entanto, ela aguentou e bebeu água de um copo que eu lhe servi discretamente de um jarro veneziano na mesa de canto. Sherlock Holmes reclinou-se na cadeira com uma expressão abstrata e as pálpebras semicerradas sobre os olhos reluzentes. Ao fitá-lo, só pude pensar em como, naquele mesmo dia, ele reclamara amargamente da banalidade da vida. Aqui, enfim, estava um problema que desafiaria sua sagacidade ao máximo. O sr. Thaddeus Sholto nos observava individualmente com um orgulho óbvio quanto ao efeito que sua história produzira em nós, e então continuou, entre baforadas de seu grande cachimbo:

– Meu irmão e eu ficamos, como devem imaginar, muito animados com o tesouro do qual falara nosso pai. Durante semanas e meses cavamos e vasculhamos todas as partes do jardim, sem descobrir a localização. Era enlouquecedor pensar que o esconderijo estava na ponta da língua de nosso pai quando ele morreu. Poderíamos julgar o esplendor das riquezas desaparecidas pelo terço que ele havia separado do resto. Sobre esse terço, meu irmão Bartholomew e eu tivemos uma pequena discussão. As pérolas eram, evidentemente, de grande valor, e meu irmão se mostrou avesso à ideia de se desfazer delas, pois, cá entre nós, ele tinha tendência ao mesmo defeito de meu pai. Também pensava que, se nós nos desfizéssemos do terço, poderíamos dar origem a fofocas e, por fim, colocar-nos em apuros.

Foi-me um imenso esforço persuadi-lo a me deixar procurar o endereço da srta. Morstan e lhe enviar uma única pérola em intervalos fixos, de modo que, pelo menos, ela nunca pudesse se sentir desamparada.

– Foi muita gentileza – agradeceu nossa companheira. – Foi extrema bondade sua.

O homenzinho abanou a mão com jeito indiferente.

– Éramos seus guardiões – ele disse. – Essa era minha visão dos fatos, embora o irmão Bartholomew não pudesse enxergar, de forma alguma, pela mesma luz. Tínhamos muito dinheiro; eu não desejava mais. Além do que teria sido de muito mau gosto tratar uma jovem dama de maneira tão vil. *Le mauvais goût mène au crime*[1]. Os franceses têm uma maneira muito elegante de colocar essas coisas. Nossa diferença de opinião sobre o assunto foi tão longe que achei melhor procurar acomodação para mim em outro lugar. Assim, deixei Pondicherry Lodge e levei o antigo *khitmutgar* e Williams comigo. Ontem, no entanto, fiquei sabendo que ocorreu um evento de extrema importância: o tesouro foi descoberto. Imediatamente me comuniquei com a srta. Morstan, e só nos resta partir para Norwood e exigir nossa parcela. Expliquei minhas opiniões ontem à noite ao irmão Bartholomew; por isso, devemos ser visitantes esperados, se não bem-vindos.

O Sr. Thaddeus Sholto cessou, e focou irrequieto no canapé luxuoso. Nós todos permanecemos em silêncio com nossos pensamentos sobre o novo desdobramento que o misterioso caso ganhava. Holmes foi o primeiro a se colocar em pé com um salto.

---

1 Do francês, "O mau gosto leva ao crime". (N.T.)

— Fez bem, senhor, do início ao fim — reconheceu ele. — É possível que sejamos capazes de lhe oferecer uma pequena retribuição, jogando alguma luz sobre o que ainda lhe parece obscuro. Porém, como observou a srta. Morstan agora mesmo, já é tarde, e seria melhor darmos prosseguimento sem demora.

Nosso novo conhecido, com muita atitude, enrolou o tubo do narguilé e tirou, de trás de uma cortina, um sobretudo muito longo de babado com gola e punhos de astracã. Abotoou-o firme até em cima, apesar da noite extremamente abafada, e completou o traje, ao colocar um gorro de pele de coelho com projeções que cobriam as orelhas, de forma que nenhuma parte sua ficasse exposta, exceto o rosto móvel e emaciado.

— Minha saúde é um pouco frágil — observou ele, ao guiar o caminho pelo corredor. — Eu sou obrigado a ser um valetudinário.

Nosso coche estava esperando do lado de fora, o roteiro já fora evidentemente pré-arranjado, pois o condutor começou naquele instante e em velocidade. Thaddeus Sholto falava sem cessar, numa voz que se elevava muito acima do rangido das rodas.

— Bartholomew é um sujeito esperto — revelou ele. — Como os senhores acham que ele descobriu onde estava o tesouro? Ele chegara à conclusão de que estava em algum lugar dentro de casa: assim, trabalhou em toda a metragem cúbica e fez medições em todos os lugares, de modo que não houvesse um centímetro desaparecido. Entre outras coisas, ele descobriu que a altura do edifício era de vinte e dois metros, mas na soma das alturas de todos os cômodos separados, e fazendo todos os descontos para os espaços entre eles, o que ele verificou por sondagens, não conseguiu chegar a mais de vinte e um. Havia um metro desaparecido. Só poderia ficar no topo da construção.

Assim, ele fez um buraco no forro de gesso do cômodo mais alto e ali, com toda certeza, encontrou outro pequeno sótão, que havia sido lacrado e não era do conhecimento de ninguém. No centro estava a arca do tesouro, sobre duas vigas. Ele a pegou pelo espaço vazado e ali estava. O irmão Bartholomew calcula o valor das joias em não menos de meio milhão de libras esterlinas.

À menção da soma gigantesca, todos nos entreolhamos com olhos arregalados. A srta. Morstan, se pudéssemos lhe garantir seus direitos, passaria de uma governanta carente à herdeira mais rica da Inglaterra. Certamente era o papel de um amigo leal regozijar-se com tal notícia; porém, envergonho-me de dizer que meu coração se tornou pesado como chumbo dentro de mim. Gaguejei algumas poucas palavras entrecortadas de congratulações, depois fiquei abatido, cabisbaixo, surdo à tagarelice do nosso novo conhecido. Ele era claramente um hipocondríaco inveterado, e eu tinha uma consciência sonhadora de que ele estava se derramando em listas intermináveis de sintomas, implorando informações sobre a composição e ação de inúmeras panaceias, algumas das quais ele trazia em um estojo de couro no bolso. Acredito que não deve se lembrar de nenhuma das respostas que lhe dei naquela noite. Holmes declara que me ouviu por alto recomendar cautela quanto ao grande perigo de tomar mais do que duas gotas de óleo de castor, enquanto eu recomendava estricnina em grandes doses como sedativo. Apesar de tudo, certamente fiquei aliviado quando nosso coche deu um solavanco e o cocheiro desceu para abrir a porta.

– Esta, srta. Morstan, é Pondicherry Lodge – anunciou Thaddeus Sholto, ao lhe ajudar a descer.

Capítulo 5

• A TRAGÉDIA DE PONDICHERRY LODGE •

Eram quase onze horas quando chegamos a essa fase final das aventuras de nossa noite. Tínhamos deixado a névoa úmida da grande cidade para trás, e a noite estava bem agradável. Um vento quente soprava do oeste, e as nuvens pesadas se moviam devagar cruzando o céu, com uma meia-lua espiando ocasionalmente por entre as fendas. Estava claro o suficiente para ver por alguma distância à nossa frente, mas Thaddeus Sholto pegou um dos lampiões laterais da carruagem para nos dar uma luz melhor durante o caminho.

Pondicherry Lodge ficava em seu próprio terreno, cingida por um muro muito alto e circular feito de pedras e encimado por cacos de vidro. Uma única porta estreita com braçadeiras de ferro compunha o único meio de entrada. Nele, nosso guia bateu com um toc-toc peculiar típico de carteiros.

– Quem está aí? – gritou uma voz rouca lá dentro.

– Sou eu, McMurdo. Você com certeza já conhece minha batida a essa altura.

Houve um resmungo e um tilintar e ranger de chaves. A porta se virou pesadamente para trás, e um homem baixo de peito largo apareceu na abertura, com a luz amarela do lampião iluminando seu rosto protuberante e seus olhos cintilantes e desconfiados.

– É o senhor, sr. Thaddeus? Mas quem são os outros? O mestre não me deu ordens sobre eles.

– Não, McMurdo? Você me surpreende! Eu disse ao meu irmão ontem à noite que traria alguns amigos.

– Ele não saiu dos aposentos dele o dia todo, sr. Thaddeus, e não tenho ordens. O senhor sabe muito bem que eu tenho que me ater aos regulamentos. Posso deixá-lo entrar, mas seus amigos devem ficar onde estão.

Esse foi um obstáculo inesperado. Thaddeus Sholto olhou em volta de uma maneira perplexa e impotente.

– É uma péssima atitude, McMurdo! Se eu lhe der minha palavra, é o suficiente para você. Também há uma jovem dama. Ela não pode esperar na via pública a uma hora dessas.

– Sinto muito, sr. Thaddeus – enfatizou o porteiro, inexoravelmente. – O pessoal pode ser amigo do senhor, mas não amigo do mestre. Ele me paga para cumprir o meu dever, e meu dever eu cumpro. Não sei nada dos seus amigos.

– Ah, sim, você sabe, McMurdo – declarou Sherlock Holmes, afável. – Acho que você não pode ter se esquecido de mim. Não se lembra do amador que o enfrentou por três *rounds* nos salões de Alison, na noite da luta beneficente, quatro anos atrás?

– Mas é o sr. Sherlock Holmes! – rugiu o pugilista. – Por Deus! Como pude confundi-lo? Se em vez de ficar aí atrás tão silencioso, o senhor tivesse se aproximado mais e me dado um soco cruzado debaixo do queixo, eu já saberia quem era, sem a menor dúvida. Ah, o senhor desperdiçou seus dons, desperdiçou--os! Poderia ter se dado bem se tivesse entrado para o esporte.

– Veja você, Watson, se nada mais der certo comigo, ainda tenho aberta a porta de uma das profissões científicas – disse Holmes, rindo. – Nosso amigo agora não vai nos deixar fora no frio, eu tenho certeza.

– Entre, senhor, entre. O senhor e seus amigos – ele respondeu. – Lamento muito, sr. Thaddeus, mas as ordens são muito rigorosas. Eu precisava estar certo sobre seus amigos antes de deixá-los entrar.

No interior, um caminho de cascalho serpenteava por terrenos desolados até uma enorme moita em forma de casa, quadrada e prosaica, toda mergulhada na sombra exceto onde um raio de luar atingia um canto e brilhava em uma janela do sótão. A grandeza do edifício, com sua tristeza e seu silêncio mortal, provocava um arrepio no coração. Até mesmo Thaddeus Sholto parecia pouco à vontade, e o lampião sacudia em sua mão trêmula.

– Não consigo entender – explicitou ele. – Deve haver algum engano. Eu disse especificamente a Bartholomew que deveríamos estar aqui, e ainda não há luz em sua janela. Não sei o que pensar.

– Ele sempre protege as instalações dessa maneira? – perguntou Holmes.

– Sim; ele seguiu o costume de meu pai. Era o filho favorito, veja bem, e eu, às vezes, acho que meu pai pode ter dito a ele mais do que já disse a mim. Aquela é a janela de Bartholomew, lá em cima, onde bate o luar. Está bem claro, mas não há nenhuma luz do lado de dentro, eu acho.

– Nenhuma – certificou-se Holmes. – Mas vejo o brilho de uma luz naquela pequena janela ao lado da porta.

– Ah, são os aposentos da governanta. É a sala de estar da velha sra. Bernstone. Ela pode nos dizer tudo sobre isso. Mas creio que o senhor não se importaria de esperar aqui por um minuto ou dois, porque se formos todos juntos e ela não houver recebido nenhuma palavra de nossa vinda, pode se alarmar. Mas, silêncio! O que foi isso?

Ele ergueu a lanterna, e sua mão estremeceu até os círculos de luz cintilarem e oscilarem ao redor de nós. A srta. Morstan agarrou meu pulso, e ficamos todos de coração acelerado, apurando os ouvidos. Da grande casa negra soava através da noite silenciosa o mais triste e mais deplorável dos sons: o gemido estridente de uma mulher assustada.

– É a sra. Bernstone – replicou Sholto. – Ela é a única mulher na casa. Esperem aqui. Volto em um instante.

Ele correu até a porta e bateu à sua maneira peculiar. Vimos uma idosa alta deixá-lo entrar e se exaltar de prazer ao vê-lo.

– Oh, sr. Thaddeus, estou tão feliz pelo senhor ter vindo! Estou tão feliz pelo senhor ter vindo, sr. Thaddeus!

Ouvimos seu júbilo reiterado até a porta se fechar, e sua voz morrer num monótono abafado.

Nosso guia nos deixara o lampião. Holmes virou-o para espiar ao redor da casa e observou com atenção os grandes montes de lixo que entulhavam o terreno. A srta. Morstan e eu ficamos juntos, e sua mão estava na minha. Uma coisa sutil e maravilhosa é o amor, pois aqui estávamos nós dois, que nunca tínhamos visto um ao outro antes desse dia, entre quem nenhuma palavra ou mesmo olhar de afeto já fora trocado, e mesmo assim agora, em uma hora de problemas, nossas mãos buscavam uma à outra por instinto. Fiquei maravilhado com o gesto depois do episódio, mas na época parecia a coisa mais natural que eu pudesse lhe fazer isso; como ela frequentemente me disse, também havia nela o instinto de recorrer a mim para conforto e proteção. Então assim ficamos de mãos dadas, como duas crianças, e havia paz em nossos corações, apesar de todas as coisas negras que nos cercavam.

– Que lugar estranho! – avaliou ela, olhando em volta.

– Parece que todas as toupeiras da Inglaterra foram soltas aqui. Vi algo do tipo na encosta da montanha perto de Ballarat, onde os prospectores estavam trabalhando.

– E pela mesma causa – emendou Holmes. – Esses são vestígios dos caçadores de tesouro. Vocês devem se lembrar de que eles o procuraram por seis anos. Não me admira que o terreno pareça um poço de cascalho.

Nesse momento, a porta da casa se escancarou e Thaddeus Sholto irrompeu correndo, com as mãos na frente do corpo e terror nos olhos.

– Tem algo errado com Bartholomew! – gritou. – Estou apavorado! Meus nervos não vão aguentar.

O homenzinho estava, de fato, gemendo de medo, e seu rosto frágil cheio de manias, que despontava do grande colarinho de astracã, tinha a expressão impotente e apelativa de uma criança horrorizada.

– Entrem no aposento – liderou Holmes, à sua maneira seca e firme.

– Sim, entrem! – implorou Thaddeus Sholto. – Não me sinto em condições de indicar o caminho.

Todos o seguimos para a sala da governanta, que ficava à esquerda da passagem. A velha andava de um lado para o outro com um olhar assustado e os dedos inquietos, mas a visão da srta. Morstan pareceu ter um efeito calmante sobre ela.

– Deus abençoe seu doce rosto calmo! – exclamou ela, com um soluço histérico. – É bom vê-lo. Oh, mas hoje passei por uma provação dolorosa!

Nossa companheira deu tapinhas sobre a mão fina e calejada de trabalho da senhora, e murmurou algumas poucas palavras de conforto feminino, o que lhe devolveu a cor para as faces pálidas.

– O mestre se trancou lá dentro e não me respondia – ela explicou. – Durante todo o dia eu esperei que desse notícias, pois ele gosta de ficar sozinho frequentemente; mas, uma hora atrás, eu temi que algo estava errado, por isso subi e espiei pelo buraco da fechadura. O senhor deve subir, sr. Thaddeus, deve subir e averiguar por si mesmo. Já vi o sr. Bartholomew Sholto na alegria e na tristeza ao longo dos anos, mas nunca com aquele semblante.

Sherlock Holmes pegou o lampião e conduziu o caminho, pois os dentes de Thaddeus Sholto tiritavam sem parar. Tão abalado ele estava que eu tentei passar a mão por debaixo de seu braço quando subimos as escadas, pois seus joelhos tremiam. Por duas vezes, conforme subíamos, Holmes sacou a lupa do bolso e examinou cuidadosamente algumas marcas que a mim pareciam meras manchas disformes de poeira sobre a esteira de semente de cacau que servia como passadeira para os degraus da escada. Ele caminhava lentamente, passo a passo, segurando o lampião, e lançando olhares ansiosos para a direita e para a esquerda. A srta. Morstan ficara para trás com a governanta assustada.

O terceiro lance de escadas terminou em uma passagem reta de certa extensão, com um grande quadro em tapeçaria indiana à direita e três portas à esquerda. Holmes avançou pelo corredor da mesma forma lenta e metódica, enquanto nós nos mantínhamos próximos de seus calcanhares, com as nossas longas sombras negras projetadas atrás de nós pelo corredor. A terceira porta era a que estávamos procurando. Holmes bateu, mas não recebeu nenhuma resposta, e, em seguida, tentou girar a maçaneta e forçá-la a se abrir. Estava trancada por dentro, no entanto, e por um ferrolho largo e poderoso, como pudemos ver quando ajustamos nosso lampião próximo dele. Embora a chave tivesse girado, o furo não estava todo fechado. Sherlock Holmes inclinou-se para vê-lo e imediatamente levantou-se de novo, tomando um gole de ar brusco.

— Há algo diabólico nisso aqui, Watson — confidenciou ele, mais emocionado do que eu já o vira antes. — Qual é sua opinião?

Abaixei-me para ver pelo buraco, e recuei com horror. O luar penetrava o cômodo, e brilhava com uma vaga e tremeluzente luminosidade. Olhando diretamente para mim, e suspenso no ar, por assim dizer, pois tudo abaixo dele estava em sombras, havia um rosto; o mesmo rosto do nosso companheiro Thaddeus. Era a mesma cabeça alta e brilhante, a mesma coroa eriçada de cabelos ruivos, o mesmo semblante pálido. As feições formavam, entretanto, um sorriso horrendo, fixo e antinatural, o que, no quarto enluarado, era mais chocante para os nervos do que qualquer carranca ou contorção. Tão parecido era com o rosto do nosso pequeno amigo, que eu me virei para ele a fim de me certificar de que estivesse, de fato, conosco. Depois recordei-me da menção de serem irmãos gêmeos.

— Isso é terrível! — eu disse a Holmes. — O que faremos?

— Teremos que arrombar a porta — ele respondeu, e, com um impulso, colocou todo o seu peso na tranca. A porta rangeu e gemeu, mas não abriu. Juntos, atiramo-nos sobre a fechadura novamente e, desta vez, ela cedeu com um estalido súbito, e nos encontramos no interior do quarto de dormir de Bartholomew Sholto.

Parecia ter sido montado como um laboratório químico. A linha dupla de garrafas com rolha de vidro estava arrumada na parede em frente à porta, e a mesa, coberta com bicos de Bunsen, tubos de ensaio e retortas. Nos cantos ficavam garrafões de ácido em cestos de vime. Um deles parecia vazar ou fora quebrado, pois um fluxo de líquido de cor escura tinha escorrido dele, e o ar estava pesado com um odor pungente peculiar, semelhante ao alcatrão. Um conjunto de escadas situava-se em um lado do quarto, no meio de um ninho de ripas e gesso, e acima disso tudo havia uma abertura no teto, grande o bastante para um homem passar. Ao pé da escada, um longo rolo de corda havia sido recolhido de qualquer jeito.

Perto da mesa, sobre uma cadeira de madeira, o dono da casa estava amontoado, com a cabeça tombada sobre o ombro esquerdo, e com aquele sorriso medonho e inescrutável sobre o rosto. Estava rígido e frio, claramente morto havia muitas horas. Pareceu-me que não só suas feições, mas seus braços e pernas estavam retorcidos da maneira mais fantástica. Perto de sua mão sobre a mesa estava um instrumento peculiar: um bastão marrom com textura intrincada e com uma cabeça de pedra assemelhada a um martelo, amarrada com um barbante rústico. Ao lado, havia uma folha de papel rasgada, onde se liam algumas palavras rabiscadas. Holmes olhou-a e depois entregou-me.

– Veja só – disse ele arqueando as sobrancelhas com jeito significativo.

À luz da lanterna eu li, com um arrepio de horror:

– "O signo dos quatro." Em nome de Deus, o que isso tudo significa? – perguntei.

– Significa assassinato – redarguiu, inclinando-se sobre o homem morto. – Ah, eu esperava por isso. Olhe aqui! – Holmes apontou o que parecia um espinho comprido e escuro preso na pele logo acima da orelha.

– Parece um espinho – supus.

– É um espinho. Você pode tirá-lo, mas tenha cuidado, pois está envenenado.

Puxei-o entre meu indicador e polegar. Saiu da pele com tamanha facilidade que dificilmente deixaria marca. Uma pequena mancha de sangue se mostrava no local da punção.

– Isso é um mistério insolúvel para mim – observei. – Em vez de clarear, apenas fica mais escuro.

– Pelo contrário – ele respondeu –, clareia a cada instante. Só necessito de algumas ligações faltantes para ter um caso totalmente interligado.

Tínhamos quase esquecido a presença do nosso companheiro desde que entráramos no quarto. Ele ainda estava em pé à porta, a própria imagem do terror, retorcendo as mãos e gemendo para si mesmo. De repente, porém, ele proferiu um grito agudo e queixoso.

– O tesouro se foi! – bradou ele. – Roubaram o tesouro! Ali está o buraco do qual ele foi removido. Fui eu que o ajudou a fazê-lo! Fui a última pessoa que o viu! Deixei-o aqui ontem à noite, e eu o ouvi fechar a porta quando cheguei ao andar de baixo.

– A que horas foi isso?

– Às dez. E agora ele está morto, e a polícia será chamada, e vão suspeitar de que tive participação. Ah, sim, tenho certeza de que vão. Mas os senhores não pensam assim, pensam? Certamente não pensam que fui eu? Há possibilidade de que eu os tivesse trazido aqui se tivesse sido eu? Meu Deus! Meu Deus! Tenho certeza de que vou enlouquecer! – Ele sacudia os braços e batia os pés numa espécie de frenesi convulsivo.

– Não há nenhuma razão para medo, sr. Sholto – disse Holmes, gentilmente, colocando a mão sobre seu ombro. – Aceite meu conselho, e siga até a delegacia para relatar o caso à polícia. Ofereça-se para ajudá-los em todos os sentidos. Vamos esperar aqui até o seu retorno.

O homenzinho obedeceu de forma um tanto estupefata, e o ouvimos descer as escadas aos tropeços na escuridão.

Capítulo 6

• SHERLOCK HOLMES FAZ UMA DEMONSTRAÇÃO •

– Agora, Watson – falou Holmes, esfregando as mãos –, temos meia hora para nós. Façamos bom uso. Meu caso está, como eu já lhe disse, quase completo; mas não devemos pecar por excesso de confiança. Por mais simples que tudo pareça agora, pode haver algo mais profundo que lhe esteja subjacente.

– Simples! – exclamei.

– Certamente – disparou ele, com algo do ar de um professor clínico lecionando à sua classe. – Apenas fique sentado ali no canto, pois suas pegadas não podem complicar as coisas. Agora, ao trabalho! Em primeiro lugar, como é que essas pessoas vieram, e como se foram? A porta não foi aberta desde a noite passada. Que tal a janela? – Ele levava o lampião na frente do corpo enquanto resmungava suas observações em voz alta, porém falando consigo mesmo, não comigo. – A janela é trancada por dentro. A moldura é sólida. Sem dobradiças nas laterais. Vamos abri-la. Sem cano de águas próximo. Telhado bem fora de alcance. No entanto, um homem subiu na janela. Choveu um pouco na noite passada. Aqui está a marca de um pé enlameado no peitoril. E aqui está uma marca circular de lama, e aqui de novo no chão, e aqui de novo perto da mesa. Veja aqui, Watson! Isso é realmente uma linda demonstração.

Olhei para as manchas de lama bem definidas e circulares.

– Não é uma pegada – discordei.

– É algo muito mais valioso para nós. É a impressão de um coto de madeira. Veja, aqui no peitoril está a marca de bota, uma bota pesada com um largo calcanhar de metal, e ao lado dela está a marca da perna-de-pau.

– É o homem da perna-de-pau.

– Isso mesmo. Mas houve alguma outra pessoa... um aliado muito capaz e eficiente. Você poderia escalar aquela parede, doutor?

Olhei pela janela aberta. A Lua ainda brilhava naquele ângulo da casa. Estávamos a quase uns vinte metros do chão e, por mais que eu olhasse, não via ponto de apoio para pés, nem mesmo uma fenda no conjunto de tijolos.

– É absolutamente impossível – respondi.

– Sem ajuda, portanto. Mas suponha que você tivesse um amigo aqui que lhe baixasse aquela corda robusta que vejo no canto, e a amarrasse nesse grande gancho na parede. Então, penso, se você fosse um homem em boa forma, poderia içá-lo, com perna-de-pau e tudo. Você partiria, é claro, da mesma forma, e seu aliado iria recolher a corda, desatá-la do gancho, fechar a janela, passar o trinco do lado de dentro, e se mandar da mesma forma como veio. Como um ponto de menor importância, nota-se também – ele continuou, tocando a corda – que o nosso amigo da perna-de-pau, embora um alpinista decente, não era um marinheiro profissional. Suas mãos não eram, nem de perto, calejadas. Minha lente revela mais do que uma mancha de sangue, especialmente no fim da corda, de onde deduzo que ele escorregou com tal velocidade que arrancou a pele da mão.

— Muito bem — disse eu —, mas a coisa toda se torna mais incompreensível do que nunca. E quanto a esse misterioso aliado? Como ele entrou no quarto?

— Sim, o aliado! — repetiu Holmes, pensativo. — Há características de interesse a respeito dele. Esse aliado remove o caso da região dos lugares-comuns. Imagino que ele inaugure um novo campo nos anais dos crimes neste país; embora possamos sugerir casos semelhantes na Índia, e, se minha memória não me falha, em Senegâmbia.

— Como então ele entrou? — reiterei. — A porta está trancada, a janela está inacessível. Foi pela chaminé?

— A grade é muito pequena — ele respondeu. — Eu já havia considerado essa possibilidade.

— Como, então? — insisti.

— Você não está aplicando o meu preceito — disse ele, balançando a cabeça. — Quantas vezes eu lhe disse que quando você tiver eliminado o impossível, seja lá que diabos tenha restado, *por mais improvável que seja*, deve ser a verdade? Sabemos que o homem não veio pela porta, pela janela ou pela chaminé. Sabemos também que não poderia ter se escondido no quarto, pois não há onde se esconder. De onde, então, ele veio?

— Pelo buraco no telhado! — exclamei.

— Claro que sim. É o que deve ter feito. Se fizer a gentileza de segurar o lampião para mim, vamos agora estender nossas pesquisas para o cômodo acima, a câmara secreta onde foi encontrado o tesouro.

Holmes subiu os degraus e, agarrando-se a uma viga, ele impulsionou o corpo para dentro do sótão. Na sequência, deitado de bruços, ele estendeu a mão para pegar o lampião e o segurou enquanto eu subia também.

A câmara em que nos encontramos tinha de cerca de três metros de comprimento por dois de largura. O piso era formado pelas vigas, com finos conjuntos de ripas e gesso entre elas, de modo que, para caminharmos, precisávamos pisar de viga em viga. O telhado se elevava até um ápice, e era, evidentemente, a parte oca dentro do verdadeiro telhado da casa. Não havia móveis de nenhum tipo, e a poeira acumulada ao longo de anos jazia espessa sobre o chão.

– Aqui está, veja só – disse Sherlock Holmes, pondo a mão sobre a parede inclinada. – Este é um alçapão que leva para fora do telhado. Posso empurrá-lo e aqui está o próprio telhado, inclinado em um ângulo suave. Este, portanto, foi o caminho pelo qual o Número Um entrou. Vamos ver se conseguimos encontrar outros vestígios de sua individualidade.

Ele colocou o lampião no piso e, quando fez isso, vi pela segunda vez naquela noite um olhar alarmado e surpreso tomar sua face. Por mim mesmo, acompanhei seu olhar, e minha pele ficou gelada debaixo das roupas. O chão estava coberto generosamente com pegadas de um pé descalço – distintas, bem definidas, de formato perfeito, mas nem na metade do tamanho dos pés de um homem comum.

– Holmes – prossegui, num sussurro –, foi uma criança que fez a coisa horrível.

Ele havia recuperado o domínio de si em um instante.

– Fiquei sem reação por um momento, mas isso é bastante natural. Minha memória me pregou uma peça, ou eu deveria ter sido capaz de prever. Não há nada mais a ser aprendido. Vamos descer.

– Qual é a sua teoria, então, quanto a essas pegadas? – perguntei, ansioso, quando havia retornado ao quarto de baixo.

— Meu caro Watson, tente uma pequena análise por si mesmo — incentivou, com um toque de impaciência. — Já conhece meus métodos. Aplique-os, e será instrutivo para comparar resultados.

— Não posso conceber nada que dê conta dos fatos — devolvi.

— Vai ficar suficientemente claro para você em breve — anunciou ele, despreocupado. — Acho que não há nada mais importante aqui, mas vou olhar.

Meu companheiro sacou a lupa e uma fita métrica e percorreu o quarto ajoelhado, medindo, comparando, examinando, com o seu longo nariz afilado a apenas alguns centímetros das tábuas, e seus olhos redondos brilhantes e profundos, como os de um pássaro. Tão rápidos, silenciosos e furtivos eram seus movimentos, parecidos com os de um cão de caça treinado para farejar um rastro, que eu não podia deixar de pensar em como ele daria um criminoso terrível se escolhesse voltar sua energia e sagacidade contra a lei, em vez de exercer sua defesa. Conforme ele caçava, não parava de murmurar para si mesmo e, finalmente, deu um grito de prazer.

— É certo que estamos com sorte. Devemos ter pouca dificuldade agora. O Número Um teve a infelicidade de pisar no creosoto. Você pode ver o contorno de seu pequeno pé aqui, ao lado dessa sujeira malcheirosa. O garrafão rachou, veja você, e o material vazou.

— E então? — perguntei.

— Ora, nós o pegamos, isso é tudo — concluiu ele. — Conheço um cão que seguiria esse rastro até o fim do mundo. Se uma matilha consegue acompanhar um arenque arrastado ao longo de um condado, a que distância pode chegar um cão especialmente treinado, seguindo um odor tão pungente como esse?

Parece uma soma na regra de três. A resposta deve nos dar o... Mas, olá! Aqui estão os representantes autorizados da lei.

Passos pesados e o clamor de vozes se tornaram audíveis no andar de baixo, e a porta do corredor se fechou com um estrondo.

– Antes que entrem – reagiu Holmes –, coloque sua mão aqui no braço desse pobre coitado, e aqui na perna. O que você está sentindo?

– Os músculos são duros como uma tábua – respondi.

– Isso mesmo. Estão em um estado de contração extrema, excedem e muito o habitual *rigor mortis*. Juntamente com esta distorção da face, este sorriso de Hipócrates, ou *"risus sardonicus"*, como chamariam os antigos escritores, a que conclusão isso leva em sua mente?

– À morte por algum poderoso alcaloide vegetal – retruquei –, alguma substância assemelhada à estricnina que produziria tétano.

– Foi essa ideia que me ocorreu no momento em que vi os músculos repuxados do rosto. Ao entrar no cômodo, procurei de imediato de que modo o veneno pudesse ter lhe entrado no corpo. Como você viu, descobri um espinho enfiado ou disparado sem muita força no couro cabeludo. Observe que a parte atingida é a que ficaria virada para o buraco no teto se o homem estivesse ereto na cadeira. Agora examine o espinho.

Peguei-o cautelosamente e segurei-o à luz do lampião. Era longo, afiado e preto, com uma aparência vítrea perto da ponta, como se alguma substância pastosa tivesse secado em cima dela. O lado cego fora aparado e arredondado com uma faca.

– Isso é um espinho inglês? – perguntou ele.

– Não, certamente não é.

– Com todos esses dados você deve ser capaz de elaborar alguma inferência justa. Mas aqui estão as forças regulares: de modo que as auxiliares podem bater em retirada.

Enquanto ele falava, os passos, que vinham se aproximando, soaram mais alto no corredor, e um homem corpulento muito robusto de traje cinzento entrou pesadamente no quarto. Estava com o rosto vermelho, gorducho e pletórico, com um par de olhinhos brilhantes que observavam intensamente entre bolsas inchadas e estufadas. Era seguido de perto por um inspetor de uniforme, e pelo ainda palpitante Thaddeus Sholto.

– Aqui está um caso! – exclamou com a voz abafada e rouca. – Aqui está um belo caso! Mas quem são esses? Ora, a casa parece estar tão cheia quanto um viveiro de coelhos!

– Creio que deve se recordar de mim, sr. Athelney Jones – objetou Holmes, em voz baixa.

– Ora, é claro que sim! – chiou. – É o Sr. Sherlock Holmes, o teórico. Lembrar-me do senhor! Eu nunca vou esquecer de como nos deu uma aula sobre as causas, as inferências e os efeitos no caso da joia Bishopgate. É verdade que nos colocou no caminho certo; mas o senhor deve admitir que foi mais por boa sorte do que por boa orientação.

– Foi um raciocínio muito simples.

– Ora, ora, ora! Nunca tenha vergonha de confessar. Mas o que é tudo isso? Um mau negócio! Um mau negócio! Fatos sérios aqui, não há espaço para teorias. Quanta sorte por eu estar em Norwood para outro caso! Eu estava na delegacia quando a mensagem chegou. Do que acha que o homem morreu?

– Ah, isso não é caso para eu ficar teorizando – disparou Holmes, irônico.

— Não, não. Ainda assim, não podemos negar que o senhor acertou na mosca algumas vezes. Minha nossa! Porta trancada, estou vendo. Joias desaparecidas no valor de meio milhão. Como estava a janela?

— Trancada; mas há passos no peitoril.

— Bem, bem, se estava trancada, os passos não podem ter nada a ver com o assunto. Isso é senso comum. O homem poderia ter morrido de uma síncope; mas, ora, as joias sumiram. Aha! Eu tenho uma teoria. Esses lampejos vêm até mim de vez em quando. Dê licença, sargento, e o senhor, sr. Sholto. Seu amigo pode ficar... O que acha disso, Holmes? Segundo Sholto confessou, ele esteve com o irmão na noite passada. O irmão morreu de uma síncope. Após o episódio, Sholto saiu com o tesouro. Como foi isso?

— O morto, muito atenciosamente, se levantou e trancou a porta por dentro.

— Hum! Aí há uma falha. Vamos aplicar o senso comum. Esse Thaddeus Sholto *esteve* com o irmão; *houve* uma briga; isso tudo nós sabemos. O irmão está morto e as joias sumiram. Isso também sabemos. Ninguém viu o irmão desde que Thaddeus foi embora. Ninguém dormiu em sua cama. Thaddeus está, evidentemente, em um estado de espírito bem perturbado. Sua aparência é... bem, não é atraente. Veja que eu estou tecendo minha teia ao redor de Thaddeus. A teia começa a ficar cada vez mais apertada.

— O senhor ainda nem está de posse dos fatos — ressaltou Holmes. — Esta lasca de madeira, que tenho todas as razões para acreditar que é envenenada, estava no couro cabeludo do homem, onde ainda é possível ver a marca; este cartão, com dizeres, como se vê, estava sobre a mesa; e ao lado dela encontrava-se este instrumento bastante curioso com cabeça de pedra. Como isso tudo se encaixa na sua teoria?

– Oferece confirmação em todos os aspectos – orgulhou-se o detetive gordo, pomposamente. – A casa está cheia de curiosidades indianas. Thaddeus fez menção a isso, e se essa lasca for venenosa, Thaddeus pode ter feito uso assassino dela como qualquer outro homem. O cartão é algum tipo de abracadabra, tanto pode ser uma pista falsa como pode não ser. A única questão é: como ele partiu? Ah, claro, aqui há um buraco no teto.

Com grande destreza, considerando seu tamanho, ele se ergueu e se espremeu para dentro do buraco no sótão, e logo depois ouvimos sua voz exultante proclamar que tinha encontrado um alçapão.

– Ele pode encontrar alguma coisa – comentou Holmes, encolhendo os ombros. – Ele tem lampejos ocasionais de razão. *Il n'y a pas des sots si incommodes que ceux qui ont de l'esprit*[2]*!*

– Vejam só! – disse Athelney Jones, reaparecendo pelos degraus novamente. – Os fatos são melhores do que meras teorias, afinal. Minha opinião sobre o caso está confirmada. Há um alçapão que se comunica com o telhado, e está parcialmente aberto.

– Fui eu quem o abri.

– Oh, de fato! O senhor notou, então? – Ele parecia um pouco desanimado com a descoberta. – Bem, seja lá quem tenha percebido, isso mostra como o nosso cavalheiro fugiu. Inspetor!

– Sim, senhor. – Veio do corredor.

– Peça ao sr. Sholto para vir até aqui. Sr. Sholto, é meu dever informá-lo que qualquer coisa que disser será usada contra o

---

2   Do francês, "Não há tolos tão incômodos como os de espírito!" (N.T.)

senhor. Está preso em nome da rainha por envolvimento na morte de seu irmão.

– Ora essa! Eu não disse?! – gritou o pobre homenzinho, jogando as mãos para o alto, e olhando-nos de um para o outro.

– Não se incomode com isso, sr. Sholto – consolou Holmes. – Acredito que posso me empenhar para eliminar sua acusação.

– Não prometa muito, sr. Teórico, não prometa muito! – retrucou o detetive. – O senhor pode achar que é uma questão mais difícil do que pensa.

– Não só vou livrá-lo da acusação, sr. Jones, como vou lhe dar de presente o nome e a descrição de uma das duas pessoas que estiveram neste quarto noite passada. O nome, tenho todos os motivos para acreditar, é Jonathan Small. É um homem de pouca instrução, pequeno, ativo, sem a perna direita e que usa, no lugar, um toco de madeira. A bota esquerda tem uma sola rústica de bico quadrado, com um aro de ferro ao redor do salto. É um homem de meia-idade, muito queimado de Sol, e já esteve preso. Essas poucas indicações podem ser de alguma ajuda para você, juntamente com o fato de que há uma boa dose de pele faltando na palma de sua mão. O outro homem...

– Ah! O outro homem...? – perguntou Athelney Jones, com um tom sarcástico, mas impressionado, apesar de tudo, o que eu podia ver em seu rosto, pela precisão dos modos do outro.

– É uma pessoa bastante curiosa – assegurou Sherlock Holmes, girando nos calcanhares. – Espero apresentá-los o quanto antes para eles dois. Uma palavrinha, Watson.

Ele me levou ao topo da escada.

– Esse acontecimento inesperado – disse ele – nos fez perder de vista o propósito original da nossa jornada.

– É o que eu estava pensando – respondi. – Não é certo que a srta. Morstan permaneça nesta perturbadora casa.

– Não. Você deve acompanhá-la para casa. Ela vive com a sra. Cecil Forrester, em Lower Camberwell, não é muito longe. Vou esperar por você aqui se puder fazer a gentileza de voltar. Ou será que está cansado demais?

– De maneira alguma. Acho que eu não poderia descansar até saber mais desse assunto fantástico. Já vi um bom tanto do lado rude da vida, mas lhe dou minha palavra de que a rápida sucessão de surpresas estranhas desta noite abalou completamente meus nervos. Eu gostaria, no entanto, de ver o desfecho dessa situação com você, agora que já me aprofundei tanto.

– Sua presença será de grande utilidade para mim – ele respondeu. – Vamos trabalhar no caso de forma independente, e deixar esse sujeito Jones exultar sobre qualquer boato sem fundamento que ele resolva forjar. Depois de deixar a srta. Morstan, gostaria que se encaminhasse para o número 3 de Pinchin Lane, perto da margem do rio, em Lambeth. A terceira casa do lado direito é de um empalhador de aves: Sherman é o nome. Você verá uma doninha segurando um jovem coelho na janela. Bata na porta do velho Sherman e diga a ele, com meus cumprimentos, que eu quero Toby imediatamente. Traga Toby no coche com você.

– Um cão, eu suponho.

– Sim... um vira-lata estranho, com a mais incrível habilidade de faro. Eu preferiria ter a ajuda de Toby do que de toda a força policial de Londres.

– Vou trazê-lo, então – afirmei. – Agora é uma hora. Devo estar de volta antes das três, se conseguir um cavalo descansado.

– E eu – informou Holmes – devo ver o que posso descobrir com a sra. Bernstone e com o criado indiano, o qual, o sr. Thaddeus me disse, dorme no sótão ao lado. Então vou estudar os métodos do grande Jones e ouvir seus sarcasmos não muito delicados. *Wir sind gewohnt, daß die Menschen verhöhnen was sie nicht verstehen*[3]. Goethe é sempre poderoso.

---

3   Do alemão, "É comum o homem ridicularizar aquilo que não entende". (N.T.)

Capítulo 7

• O EPISÓDIO DO BARRIL •

A polícia trouxera consigo um coche, e nele eu acompanhei a srta. Morstan de volta para sua casa. Da forma angelical das mulheres, ela havia suportado os transtornos com um rosto calmo enquanto havia alguém mais fraco do que ela a quem oferecer apoio, e eu a encontrara alegre e plácida ao lado da governanta apavorada. No carro, no entanto, ela primeiro pareceu que ia desmaiar, depois começou a se debulhar em lágrimas, tamanha foi a provação que lhe representaram as aventuras da noite. Desde então, ela disse que me achou frio e distante ao longo do trajeto. Mal ela imaginava o conflito que havia no meu peito, o efeito ou o esforço de autocontenção que me segurava. Minha empatia e meu amor eram dela, a mesma sensação que minha mão tivera no jardim. Senti que os anos de convencionalismos da vida não poderiam ter me ensinado a conhecer a natureza doce e corajosa da srta. Morstan, como fizera aquele único dia de experiências estranhas. Ainda assim, dois pensamentos calaram as palavras de afeto em meus lábios. Por um lado, ela estava fraca e indefesa, abalada na mente e nos nervos. Forçar-lhe meu amor em tal momento seria lhe tomar em desvantagem. Pior ainda: ela era rica. Se as pesquisas de Holmes tinham sido bem-sucedidas, ela seria uma herdeira. Por acaso era justo e honrado que um cirurgião a meio-soldo tomasse liberdades íntimas provocadas pelo acaso? Será que ela não me olharia como um mero e vulgar caçador de fortunas? Eu não suportaria arriscar que tal pensamento cruzasse sua mente. Esse tesouro Agra se interpunha como uma barreira intransponível entre nós.

Eram quase duas horas quando chegamos à casa da sra. Cecil Forrester. Os criados haviam se retirado horas antes, mas a sra. Forrester ficara tão interessada pela estranha mensagem recebida pela srta. Morstan que ficou acordada na expectativa de seu retorno. Ela mesma abriu a porta; era uma mulher graciosa de meia-idade, e me deu alegria ver como ela passava o braço carinhosamente ao redor da cintura da moça e como sua voz era maternal ao cumprimentá-la. Era visível que a srta. Morstan não era uma mera dependente assalariada, mas uma amiga honrada. Fui apresentado, e a sra. Forrester me convidou com sinceras súplicas para entrar e lhe contar nossas aventuras. Expliquei, no entanto, a importância da minha missão, e prometi fielmente visitar e relatar qualquer progresso que pudéssemos fazer com o caso. Enquanto o coche se afastava, roubei um olhar para trás, e eu ainda parecia ver aquela dupla reunida no degrau, as duas silhuetas graciosas, abraçadas, a porta entreaberta, a luz do corredor brilhando através dos vitrais, o barômetro, e os postes que formavam o corrimão da escada. Era reconfortante captar até mesmo aquele vislumbre fugaz de um lar inglês tranquilo no meio do insano e sombrio assunto que nos havia absorvido.

E quanto mais eu pensava no que tinha acontecido, mais insano e sombrio o assunto ficava. Revi toda a sequência extraordinária de eventos conforme sacudia pelas ruas silenciosas iluminadas a gás. Havia o problema original: esse pelo menos agora estava bastante claro. A morte do capitão Morstan, o envio das pérolas, o anúncio, a carta... tínhamos encontrado luz sobre todos esses eventos. Porém, eles só tinham nos levado a um mistério mais profundo e muito mais trágico. O tesouro indiano, a planta curiosa encontrada na bagagem de Morstan, o cenário estranho da morte do major Sholto, a redescoberta do tesouro imediatamente seguida pelo assassinato do descobridor, os acompanhamentos muito singulares do crime, os passos, as armas notáveis, as palavras sobre o cartão, que correspondiam aos do mapa do capitão Morstan... Aqui, de fato, estava um labirinto que faria muito bem um homem de habilidades menos singulares que as do meu companheiro de apartamento entrar em desespero e nunca encontrar a pista.

Pinchin Lane era uma fileira de sobrados de tijolos desmazelados na parte mais baixa de Lambeth. Tive que bater por algum tempo no número 3 antes que pudesse causar minha boa impressão. Por fim, no entanto, surgiu o brilho de uma vela por trás da persiana, e um rosto olhou da janela superior.

– Vá embora, vagabundo bêbado! – vociferou o rosto. – Se continuar me amolando, vou abrir os canis e soltar 43 cães em cima de você.

– Se soltar apenas um... É exatamente o que eu vim buscar – retruquei.

– Vá embora daqui! – gritou a voz. – Valha-me Deus, tenho uma víbora num saco e vou jogá-la na sua cabeça se não der o fora daqui!

– Mas eu quero um cachorro! – gritei.

— Não quero saber de conversa! — bradou o sr. Sherman. — Agora se prepare, pois quando eu contar "três", a víbora vai descer.

— O sr. Sherlock Holmes... — comecei, mas as palavras tiveram um efeito muito mágico, pois a janela instantaneamente bateu e, dentro de um minuto, a porta estava destrancada e aberta. O sr. Sherman era um velho magro e esguio, com ombros curvados, um pescoço comprido e óculos azulados.

— Um amigo do sr. Sherlock é sempre bem-vindo — falou ele. — Entre, senhor. Fique longe do texugo, pois ele morde. Ah, menino levado, menino levado, quer dar uma mordida no cavalheiro? — Disse isso para um furão que mostrou o rosto perverso e os olhos vermelhos entre as barras da jaula. — Não se preocupe com essa, senhor: não passa de uma cobra-de-vidro. Ela não tem presas, mas a deixo solta pelo cômodo, pois cuida dos besouros. Não leve a mal minha falta de educação com o senhor antes, pois as crianças zombam de mim, e muitas delas descem essa rua só para me provocar. O que era mesmo que o sr. Sherlock Holmes queria, senhor?

— Ele queria um dos seus cães.

— Ah! Seria o Toby.

— Sim, Toby era o nome.

— Toby vive no número 7, aqui à esquerda.

O velho se moveu lentamente adiante com a vela, passando entre sua família de estranhos animais que se havia reunido ao seu redor. Na luz incerta e sombria, eu notava vagamente olhos brilhantes à espreita em cada canto e recanto. Até mesmo o teto acima de nossas cabeças estava coberto por aves solenes, que preguiçosamente deslocavam seu peso de uma perna para a outra, conforme nossas vozes lhes perturbavam o sono.

Toby mostrou-se uma criatura feia de pelagem comprida e orelhas pendentes, meio *spaniel* e meio *lurcher*, de cor marrom e branca, com um andar gingado muito desajeitado. Depois de alguma hesitação, ele aceitou um torrão de açúcar que o velho naturalista havia me entregado e, tendo assim selado nossa aliança, ele me seguiu ao coche, e não ofereceu dificuldades para me acompanhar. Acabavam de bater as três horas no relógio do Palace quando eu me vi de volta em Pondicherry Lodge. O ex-pugilista McMurdo havia sido, como fiquei sabendo, preso como acessório, e tanto ele quanto o sr. Sholto haviam marchado para a delegacia. Dois policiais guardavam o portão estreito, mas me permitiram passar com o cão quando mencionei o nome do detetive.

Holmes estava em pé na soleira da porta com as mãos nos bolsos, fumando seu cachimbo.

– Ah, você o trouxe! – animou-se Holmes. – Bom cãozinho, então! Athelney Jones se foi. Tivemos uma imensa exibição de energia desde que você partiu. Ele prendeu não só o amigo Thaddeus, como o porteiro, a governanta e o criado indiano. Temos o lugar inteiro para nós, exceto por um sargento lá em cima. Deixe o cão aqui e suba.

Depois de amarrar Toby no aparador, subimos as escadas uma vez mais. O quarto estava conforme o tínhamos deixado, exceto por um lençol amarrado sobre a figura central. Um sargento de polícia de aparência cansada estava reclinado no canto.

– Empreste-me sua lanterna, sargento – pediu meu companheiro. – Agora amarre este cordão ao redor do meu pescoço, para pendurá-la na minha frente. Obrigado. Vou chutar minhas botas e meias... Apenas carregue-as com você, Watson. Vou fazer um pouco de escalada. E mergulhe meu lenço no creosoto. Isso, assim já dá. Agora suba ao sótão comigo por um momento.

Subimos e passamos através do buraco. Holmes virou a luz mais uma vez sobre as pegadas na poeira.

– Desejo que preste particular atenção a essas pegadas. Observa qualquer coisa digna de nota?

– Elas pertencem – eu disse – a uma criança ou a uma mulher pequena.

– Além do tamanho, no entanto. Não há nada mais?

– São muito parecidas com outras pegadas.

– De forma alguma. Olhe aqui! Esta é a marca de um pé direito na poeira. Agora eu faço uma com o meu pé descalço ao lado. Qual é a principal diferença?

– Seus dedos estão todos unidos. Na outra pegada cada dedo do pé está nitidamente separado.

– Isso mesmo. Esse é o ponto. Guarde isso em mente. Agora, você poderia por gentileza ir até aquela janela e sentir o cheiro do parapeito de madeira? Vou ficar aqui, com este lenço na minha mão.

Fiz como ele orientou e, na hora, tomei consciência de um cheiro forte de alcatrão.

– Foi aí o lugar onde ele colocou o pé ao sair. Se *você* consegue sentir o faro, só posso crer que Toby não terá nenhuma dificuldade. Agora corra lá para baixo, solte o cachorro e procure por Blondin[4].

No momento em que eu saí para o terreno, Sherlock Holmes estava no telhado, e eu pude vê-lo como um enorme pirilampo rastejando-se muito lentamente ao longo do cume.

---

4   Charles Blondin (1824-1897) foi um artista de circo francês, acrobata e equilibrista de corda bamba. Ficou tão famoso na Europa e nos EUA que se chegou a chamar de "Blondin" outros equilibristas como ele. (N.T.)

Perdi-o de vista atrás de um conjunto de chaminés, mas ele reapareceu logo na sequência, e, depois desapareceu mais uma vez em cima do lado oposto. Quando segui o caminho até lá, encontrei-o sentado nos beirais de canto.

– É você, Watson? – ele gritou.

– Sim.

– Este é o lugar. O que é aquela coisa preta lá embaixo?

– Um barril de água.

– Está tampado?

– Está.

– Nenhum sinal de uma escada?

– Não.

– Diabo de sujeito! É um lugar perigosíssimo. Posso descer onde ele conseguiu subir. O cano pluvial parece bem firme. Aqui vou eu mesmo assim.

Ouviu-se um ruído de pés e a lanterna começou a descer em velocidade constante ao lado da parede. Na sequência, com um leve impulso, ele pulou no barril e, de lá, para o solo.

– Foi fácil segui-lo – revelou ele, ao pegar as meias e as botas. – Havia telhas soltas por todo o caminho, e, na pressa, ele deixou isso cair. Confirma o meu diagnóstico, como vocês, médicos, expressam.

O objeto que ele ergueu para mim era um pequeno bolso tecido de ramos coloridos e com algumas contas espalhafatosas amarradas em volta. Tinha forma e tamanho que não era diferente de uma cigarreira. Dentro havia cerca de meia dúzia de espinhos de madeira escura, afiados em uma extremidade e arredondados na outra, como o que atingira Bartholomew Sholto.

– São coisas infernais – confessou ele. – Cuidado para não se espetar. Estou muito feliz por tê-los, pois as chances são de que ele só tenha esses. Agora há menos temor de você ou eu encontrarmos um desses em nossa pele num futuro próximo. Eu, para falar a verdade, preferiria enfrentar um projétil Martini. Está disposto a uma marcha de dez quilômetros, Watson?

– Certamente – respondi.

– Sua perna vai aguentar?

– Ah, sim.

– Aqui, cãozinho! O bom e velho Toby! Sinta o cheiro, Toby, sinta o cheiro!

Holmes colocou o lenço com creosoto debaixo do focinho do cão, enquanto a criatura se levantava com o mais cômico movimento de cabeça; era como um especialista sentindo o aroma de um famoso vinho antigo. Holmes, em seguida, jogou o lenço longe, amarrou uma corda firme na coleira do vira-lata e o levou ao pé do barril de água. A criatura irrompeu instantaneamente numa sucessão de altos ganidos trêmulos e, com o focinho no chão e a cauda no ar, saiu pateando sobre o rastro num passo que deixou a guia esticada e nos fez correr ao máximo da nossa velocidade.

O Leste estava clareando pouco a pouco, e poderíamos agora enxergar a alguma distância na luz fria e cinzenta. A casa enorme e quadrada, com suas janelas pretas e vazias, e muros altos e nus, se elevavam, tristes e desolados, atrás de nós. Nosso curso nos levou ao outro lado do terreno, dentro e fora de trincheiras e poços que eles haviam enchido de cicatrizes e intersecções. Todo o lugar, com seus montes espalhados de terra e arbustos malcuidados, tinha uma aparência agourenta que harmonizava com a tragédia negra que pairava sobre ele.

Ao chegar ao muro da propriedade, Toby o acompanhou correndo, ganindo ansiosamente, debaixo de sua sombra, e parou, enfim, em um canto protegido por uma jovem faia. Onde as duas paredes se uniam, vários tijolos estavam soltos, e as fendas deixadas estavam desgastadas e arredondadas na parte inferior, como se tivessem sido utilizadas frequentemente como escada. Holmes subiu, tomou o cão de mim e o soltou do outro lado do muro.

– Ali está a marca da mão do sujeito de perna-de-pau – observou ele, conforme eu subia ao seu lado. – Está vendo a ligeira mancha de sangue sobre o gesso branco? Que sorte a nossa não termos chuva muito forte desde ontem! O cheiro vai permanecer na estrada apesar das vinte e oito horas.

Confesso que eu tinha minhas dúvidas quando refletia sobre o grande tráfego que atravessara as vias de Londres nesse intervalo. Meus temores foram logo apaziguados, no entanto. Toby nunca hesitou ou desviou do percurso, mas continuou trotando em sua forma peculiar de caminhar. Claramente, o odor pungente do creosoto elevava-se acima de todos os outros aromas em disputa.

– Não pense – alertou Holmes – que, para meu sucesso neste caso, dependo da mera possibilidade de o sujeito ter posto o pé na substância química. Tenho conhecimento agora que me permitiria rastreá-los de várias maneiras diferentes. Esta, contudo, é a mais imediata e, já que o destino a colocou em nossas mãos, eu deveria ser culpado se a negligenciasse. Mas ela, no entanto, impediu que o caso se tornasse o pequeno problema intelectual que prometia ser no início. Eu poderia ter obtido algum crédito disso tudo, não fosse por essa pista palpável demais.

– Há crédito, e de sobra – contestei. – Eu lhe asseguro, Holmes, que fico maravilhado com os meios pelos quais você obtém os resultados neste caso, até mais do que fiquei com o assassinato de Jefferson Hope. A coisa parece-me ser mais profunda e inexplicável. Como, por exemplo, você poderia descrever com tanta confiança o homem da perna-de-pau?

– Bobagem, meu rapaz! Era a simplicidade em si. Não desejo ser teatral. Está tudo patente e às claras. Dois oficiais no comando de um guarda de presidiários descobrem um segredo importante, como um tesouro enterrado. Um mapa lhes é desenhado por um inglês chamado Jonathan Small. Você se lembra que vimos esse nome sobre o mapa do capitão Morstan. Ele assinara em nome próprio e de seus associados, "O signo dos quatro", como chamou dramaticamente. Com a ajuda desse mapa, os oficiais, ou um deles, consegue o tesouro e o leva para a Inglaterra, deixando para trás, vamos supor, alguma condição não resolvida a respeito da posse do tesouro. Agora, veja bem, por que o próprio Jonathan Small não ficou com o tesouro? A resposta é óbvia. O mapa é datado da época em que Morstan tinha estreita relação com os condenados. Jonathan Small não pegou o tesouro porque ele e seus associados eram todos presidiários e não poderiam fugir.

– Mas isso é mera especulação – avaliei.

– É mais do que isso. É a única hipótese que abrange os fatos. Veremos como ela se encaixa, na sequência. O major Sholto permanece em paz por alguns anos, feliz na posse de seu tesouro. Então ele recebe uma carta da Índia que lhe dá um grande susto. O que era?

– Uma carta para dizer que os homens a quem ele trapaceara haviam sido libertados.

– Ou haviam escapado. Isso é muito mais provável, pois o major teria tomado conhecimento de que o período de detenção chegara ao fim. Não teria sido uma surpresa para ele.

O que faz, então? Protege-se contra um homem de perna-de-pau, um homem branco, veja bem, pois ele o confunde com um comerciante branco, e realmente chega a disparar uma pistola contra ele. Observe que apenas um nome de homem branco aparece no mapa; os outros são hindus ou muçulmanos. Não há nenhum outro homem branco. Portanto, podemos dizer com confiança que o homem da perna-de-pau e Jonathan Small são a mesma pessoa. O raciocínio lhe parece defeituoso?

– Não: é claro e conciso.

– Bem, agora, vamos nos colocar no lugar de Jonathan Small. Olhemos a questão sob este ponto de vista: ele vem para a Inglaterra com a dupla ideia de recuperar o que considera seu de direito e de ter sua vingança contra o homem que o ofendera. Descobriu onde Sholto morava, e muito possivelmente estabeleceu comunicações com alguém dentro da casa. Há o mordomo, Lal Rao, que não vimos. A sra. Bernstone o considera longe de ter bom caráter. Small não conseguiu descobrir, no entanto, onde o tesouro estava escondido, pois ninguém nunca soube, exceto o major e um fiel criado que morrera. De repente, Small descobre que o major está em seu leito de morte. Desesperado para evitar que o segredo do tesouro morra com Sholto, ele passa pela manopla dos guardas, consegue chegar à janela do moribundo, e só é dissuadido de entrar pela presença dos dois filhos. Louco de ódio contra o morto, no entanto, ele entra no quarto naquela noite, procura em seus papéis particulares na esperança de descobrir algum memorando relativo ao tesouro, e, finalmente, deixa uma lembrança de sua visita: uma curta inscrição sobre o cartão. Ele planejara de antemão, sem dúvida, que deveria matar o major e deixar algum registro sobre o corpo, como sinal de que não era um assassinato comum; mas, do ponto de vista dos quatro associados, algo da natureza de um ato de justiça. Conceitos excêntricos e bizarros como esses são bastante comuns nos anais dos crimes, e, geralmente, permitem indicações preciosas quanto ao criminoso. Está me acompanhando em tudo isso?

– Muito claramente.

– Agora, o que Jonathan Small poderia fazer? Ele só poderia continuar a manter uma vigilância secreta sobre os esforços feitos para encontrar o tesouro. Possivelmente ele deixa a Inglaterra e só volta de tempos em tempos. Depois vem a descoberta do sótão, e ele é informado de imediato. Voltamos a encontrar vestígios da presença de alguns confederados entre os habitantes da casa. Jonathan, com sua perna-de-pau, é absolutamente incapaz de alcançar o átrio no quarto de Bartholomew Sholto. Leva consigo, no entanto, um associado bastante curioso, que supera essa dificuldade, mas mergulha o pé descalço em creosoto, e é aí que entra Toby, e um coxear de dez quilômetros de um oficial a meio-soldo com um tendão de Aquiles prejudicado.

– Mas foi o associado, e não Jonathan, que cometeu o crime.

– Isso mesmo. E para grande desgosto de Jonathan, a julgar pela forma como ele marchou de um lado para o outro quando entrou na câmara. Ele não guardava qualquer rancor contra Bartholomew Sholto e teria preferido se o homem pudesse ter sido simplesmente amarrado e amordaçado. Afinal, ele não queria colocar a cabeça na forca. Contudo, não havia nada a ser feito: os instintos selvagens de seu companheiro haviam estourado, e o veneno fizera seu trabalho: portanto, Jonathan Small deixou seu registro, baixou a arca do tesouro para o chão e a seguiu ele mesmo. Essa foi a cadeia de acontecimentos, até onde eu posso decifrá-la. Claro, quanto à sua aparência pessoal, ele deve ser de meia-idade e queimado de Sol depois de ter cumprido pena em um forno como as Andamãs. Sua altura pode ser facilmente calculada pelo comprimento de sua passada, e nós sabemos que ele estava barbudo. Sua pilosidade foi um ponto que impressionou Thaddeus Sholto quando o viu na janela. Não sei de nada mais.

– O associado?

– Ah, bem, aqui não há nenhum grande mistério, mas você vai ficar sabendo de tudo em breve. Como é doce o ar da manhã! Veja aquela única nuvenzinha a flutuar como uma pluma rosada de um flamingo gigante. Agora o contorno vermelho do Sol impõe-se sobre o banco de nuvens de Londres. Ela brilha sobre muitas pessoas, mas ninguém, atrevo-me a apostar, em uma missão mais estranha do que a sua ou a minha. Como nos sentimos pequenos com nossas ambições mesquinhas e esforços na presença das grandes forças elementares da natureza! Está afiado com seu Jean Paul[5]?

– Razoavelmente. Cheguei a ele por meio de Carlyle.

– Isso foi como seguir o ribeirão até o lago mãe. Ele faz uma observação curiosa, mas profunda, de que a principal prova da verdadeira grandeza do homem está na percepção de sua própria pequenez. Alega, veja só, um poder de comparação e de valorização que é, em si, uma prova de nobreza. Há muito que pensar em Richter. Você não tem uma pistola, tem?

– Tenho minha bengala.

– É bem possível que precisemos de algo do tipo se chegarmos ao covil. Jonathan eu deixarei para você, mas se o

---

5 Johann Paul Friedrich Richter, escritor alemão (1763-1825), vincula a sensibilidade ao humor e à ironia. (N.R.)

outro se tornar um problema, vou alvejá-lo. – Pegou o revólver enquanto falava, carregou dois projéteis no tambor, e o colocou de volta no bolso direito do casaco.

Durante esse tempo, vínhamos seguindo a orientação de Toby por estradas semirrurais, ladeadas por casas de campo, que levavam à metrópole. Agora, no entanto, estávamos começando a encontrar ruas contínuas, onde os operários e estivadores já estavam em plena atividade, e mulheres desleixadas abriam persianas e varriam a soleira das portas. Na esquina da praça, as tavernas estavam começando as atividades, e homens de aparência rude começavam a sair, passando a manga da camisa sobre as barbas, após o álcool matinal. Cães estranhos passeavam e nos encaravam com espanto, mas nosso inimitável Toby não desviava o olhar nem para a direita nem para a esquerda, apenas seguia adiante num trote, com o focinho no chão e um ganido ansioso ocasional que falava de um rastro quente.

Tínhamos atravessado Streatham, Brixton, Camberwell e agora nos encontrávamos em Kennington Lane, tendo usado ruas secundárias para o leste do Oval. Os homens a quem perseguíamos pareciam ter tomado um caminho em curioso ziguezague, com a provável ideia de não chamar a atenção. Nunca tinham se mantido à via principal, se uma rua secundária, paralela, pudesse servir. Ao pé de Kennington Lane, tinham se afastado para a esquerda pela Bond Street e pela Miles Street. Quando esta última vira para Knight's Place, Toby parou de avançar, mas começou a correr para frente e para trás com uma orelha levantada e a outra caída, a própria imagem da indecisão canina. Então ele foi gingando em círculos, olhando para nós de vez em quando, como se para pedir compreensão em seu constrangimento.

– Que diabo está acontecendo com o cachorro? – rosnou Holmes. – Eles certamente não tomaram um cabriolé ou partiram em um balão.

– Talvez ficaram aqui por algum tempo – sugeri.

– Ah! Está bem. Ele partiu novamente – disse meu companheiro, em um tom de alívio.

De fato, o animal partira, pois, depois de farejar os arredores mais um pouco, ele de repente se decidiu e disparou em frente com energia e determinação tamanhas como antes ainda não havia demonstrado. O rastro parecia muito mais quente do que antes, pois ele não tinha sequer encostado o focinho no chão, e já puxou a coleira e disparou a correr. Eu via pelo brilho nos olhos de Holmes que ele achava que estávamos nos aproximando do fim da nossa jornada.

Nosso caminho então percorreu Nine Elms até chegarmos à grande madeireira Broderick e Nelson, logo adiante da taverna White Eagle. Ali o cão, desesperado, virou e atravessou um portão lateral e entrou num local cercado onde os serradores já estavam no trabalho. Ele seguiu em frente através de serragem e aparas, por um beco, por uma passagem, entre duas pilhas de madeira, e, finalmente, com um grito triunfante, saltou em cima de um grande barril ainda sobre um carrinho de mão no qual havia sido trazido. Com a língua de fora e os olhos piscantes, Toby ficou em cima do barril, olhando para mim e para Holmes à espera de um sinal de apreço. As ripas do barril e as rodas do carrinho estavam manchadas com um líquido escuro, e todo o ar estava pesado com o cheiro de creosoto.

Sherlock Holmes e eu nos entreolhamos fixamente e, em seguida, explodimos ao mesmo tempo num acesso incontrolável de riso.

Capítulo 8

• Os irregulares de Baker Street •

– E agora? – perguntei. – Toby perdeu sua característica de infalibilidade?

– Ele agiu segundo os recursos de que dispunha – ponderou Holmes, levantando-o do barril e caminhando para fora da madeireira. – Se você considerar o quanto se transporta de creosoto ao redor de Londres em um dia, não é de admirar que nosso rastro tivesse se extraviado. A substância é muito usada hoje, especialmente para temperar a madeira. O pobre Toby não teve culpa.

– Temos de encontrar o rastro principal de novo, suponho.

– Sim. E, felizmente, não temos distância a percorrer. É evidente que o que intrigou o cão na esquina de Knight's Place foi onde dois rastros diferentes seguiram para direções opostas. Pegamos o errado. Só nos resta seguir o outro.

Não houve dificuldade a esse respeito. Quando voltamos ao lugar onde Toby cometera o erro, ele começou a se movimentar em um círculo e, por fim, disparou para uma nova direção.

– Temos de tomar cuidado para que ele agora não nos leve ao lugar de onde veio o barril de creosoto – observei.

— Eu tinha pensado nisso. Mas perceba que ele se mantém na calçada, enquanto o barril passou pela estrada. Não, agora estamos no rastro certo.

O caminho tendia a se aproximar da margem do rio, percorrendo Belmont Place e Prince's Street. No final de Broad Street corria diretamente para a beira d'água, onde havia um pequeno cais de madeira. Toby levou-nos ao limite dele, e ali ficou ganindo e olhando para a corrente escura além de nós.

— Estamos sem sorte — disparou Holmes. — Eles tomaram um barco aqui. — Vários botes e esquifes boiavam sobre a água e na beira do cais. Levamos Toby a cada um deles; mas, embora ele farejasse com entusiasmo, não fez nenhum sinal.

Perto do patamar de desembarque rústico havia uma casinha de tijolos com uma placa de madeira pendurada na segunda janela. "Mordecai Smith" era o que estava escrito em letras grandes e, abaixo, "Barcos para alugar por hora ou dia". Uma segunda inscrição acima da porta nos informava que eles possuíam uma lancha a vapor; declaração que era confirmada por uma grande pilha de carvão sobre o cais. Sherlock Holmes olhou em volta devagar, e seu rosto assumiu uma expressão sinistra.

— Isso parece ruim — avaliou ele. — Esses sujeitos são mais astutos do que eu esperava. Parecem ter encoberto seu rastro. Temo que houve um acordo preestabelecido aqui.

Holmes estava se aproximando da porta da casa, quando ela se abriu, e um rapazinho de seis anos e cabelos enrolados saiu correndo, seguido por uma mulher gorducha de rosto vermelho com uma grande esponja na mão.

— Volte aqui para se lavar, Jack! — ela gritou. — Volte, seu diabinho; porque se seu pai chegar em casa e descobrir você desse jeito, ele nos faz ouvir poucas e boas.

– Caro amiguinho! – saudou Holmes, estrategicamente. – Que malandrinho de bochechas rosadas! Ora, Jack, você gostaria de alguma coisa?

A criança ponderou por um momento.

– Eu gostaria de um xelim.

– Não gostaria mais de nenhuma outra coisa?

– Dois xelins eu gostaria mais – respondeu o prodígio, depois de pensar um pouco.

– Aqui está, então! Pegue! Uma bela criança, sra. Smith!

– Deus o abençoe, senhor, isso ele é, e atrevido. Mal consigo controlá-lo, ainda mais quando meu marido fica fora por dias.

– Ele está fora, então? – indagou Holmes, com uma voz decepcionada. – Lamento por isso, pois eu queria falar com o sr. Smith.

– Ele está fora desde ontem de manhã, senhor, e, para dizer a verdade, estou começando a temer por ele. Mas se for por causa de um barco, senhor, talvez eu também possa servi-lo.

– Eu queria contratar a lancha a vapor.

– Ora, Deus o abençoe, senhor, foi na lancha a vapor que ele partiu. Isso é o que me intriga; pois sei que não há mais carvão a bordo do que o suficiente para levá-la perto de Woolwich e voltar. Se ele tivesse saído na barcaça eu não pensaria nada; pois ele já pegou muito serviço que o levou tão longe como Gravesend, e, depois, se tivesse muita coisa para fazer lá, ele poderia passar a noite. Mas para que serve a lancha a vapor sem carvão?

– Ele poderia ter comprado um pouco em um cais no rio.

– Pode ser, senhor, mas ele não agiria assim. Muitas vezes eu o ouvi gritar por causa dos preços que eles cobram por algumas poucas sacas. Além do mais, não gosto daquele homem da perna-de-pau, com a cara feia e a conversa esquisita. O que ele queria sempre vindo aqui?

– Um homem de perna-de-pau? – repetiu Holmes, com surpresa discreta.

– Sim, senhor, um sujeito moreno com cara de macaco que veio procurar meu velho mais de uma vez. Foi ele que o acordou ontem à noite, e, além do mais, meu marido sabia que ele viria, pois já havia acendido a caldeira da lancha. Digo-lhe sem meias palavras, senhor, não estou tranquila com essa história.

– Mas, minha cara sra. Smith – censurou Holmes, encolhendo os ombros –, a senhora está assustada sem motivo. Como poderia dizer que foi o homem da perna-de-pau que veio no meio da noite? Eu não entendo muito bem como a senhora pode ter tanta certeza.

– A voz, senhor. Eu conhecia a voz, meio grossa e nebulosa. Ele bateu na janela, por volta de três da manhã. "Ande, homem", disse ele, "hora de render a guarda". Meu velho acordou Jim, meu filho mais velho; e lá se foram eles, sem sequer uma palavra para mim. Eu só ouvi o estalido da perna-de-pau nas pedras.

– E esse homem da perna-de-pau estava sozinho?

– Não posso afirmar com certeza, senhor. Não ouvi mais ninguém.

– Sinto muito, sra. Smith, porque eu queria uma lancha a vapor, e eu ouvi bons relatos da... deixe-me ver, qual era o nome dela?

– A *Aurora*, senhor.

– Ah! Não é aquela velha lancha verde com uma linha amarela, muito ampla na viga?

– Não, não. Ela é uma coisinha elegante como nenhuma outra no rio. Foi pintada recentemente, preta com duas linhas vermelhas.

– Obrigado. Espero que a senhora tenha notícias do sr. Smith em breve. Vou descer o rio; se vir alguma coisa da *Aurora*, vou avisá-lo da sua inquietação. Uma chaminé preta, a senhora disse?

– Não, senhor. Preta com uma faixa branca.

– Ah, claro. As laterais que eram pretas. Bom dia, sra. Smith. Há um barqueiro aqui com uma balsa, Watson. Vamos pegá-la para cruzar o rio.

– O principal com gente desse tipo – comentou Holmes, quando nos sentamos nas ripas da balsa –, é nunca os deixar pensar que sua informação pode ser da menor importância para nós. Se fizermos isso, eles vão se fechar instantaneamente como uma ostra. Se os ouvir sob protesto, por assim dizer, é muito provável conseguir o que se quer.

– Nosso curso agora parece bastante claro – elucidei.

– O que você faria, então?

– Contrataria uma lancha para descer o rio atrás da *Aurora*.

– Meu caro amigo, seria uma tarefa colossal. Ela pode ter aportado em qualquer cais de ambas as margens, daqui até Greenwich. Embaixo da ponte há um perfeito labirinto de pontos de desembarque ao longo de quilômetros. Levaríamos dias e dias para percorrermos todos eles, se estivermos sozinhos.

– Então empregue a polícia.

– Não. Eu provavelmente chamaria Athelney Jones ao caso no último instante. Ele não é um mau sujeito, e eu não gostaria de fazer nada que pudesse prejudicá-lo profissionalmente, mas tenho uma preferência por trabalhar sozinho, agora que chegamos tão longe.

– Poderíamos colocar um anúncio, então, pedindo informações dos donos dos cais?

— Cada vez pior! Nossos homens saberiam que a perseguição está quente em seus calcanhares, e se mandariam do país. Do jeito que estamos, já é bem provável que eles saiam, mas enquanto continuarem pensando que estão perfeitamente a salvo, não vão ter pressa. A energia de Jones nos será útil, pois sua visão do caso com certeza vai encontrar o caminho até a imprensa diária, e os fugitivos vão pensar que todo mundo está seguindo pistas erradas.

— O que devemos fazer, então? – perguntei, quando aportamos perto da penitenciária de Millbank.

— Pegar este cabriolé, seguir para casa, tomar um desjejum, ter uma hora de sono. É bem provável que vamos estar a pé novamente esta noite. Pare na agência de telégrafos, cocheiro! Vamos ficar com Toby, pois ele ainda pode ser útil para nós.

Paramos na agência de Great Peter Street, e Holmes despachou seu telegrama.

— Para quem você acha que é? – perguntou ele, ao retomarmos nosso caminho.

— Com certeza, não sei.

— Você se lembra da força policial de detetives de Baker Street que eu empreguei no caso Jefferson Hope?

— Lembro bem – respondi, rindo.

— Este é exatamente o caso em que eles podem ser de valor inestimável. Se falharem, tenho outros recursos; mas vou experimentá-los primeiro. Aquele telegrama era para meu pequeno e sujo tenente, Wiggins, e espero que ele e sua gangue estejam conosco antes de terminarmos o desjejum.

Agora já eram entre oito e nove horas, e eu tinha consciência de uma forte reação após as excitações sucessivas da noite. Eu estava mole e cansado, embotado na mente e fatigado no corpo. Não tinha o mesmo entusiasmo profissional que movia meu companheiro, nem conseguia analisar o assunto como um mero problema intelectual abstrato. Quanto à morte de Bartholomew Sholto, eu ouvira falar pouco de bom a seu respeito, e não sentia nenhuma antipatia intensa para com seus assassinos. O tesouro, no entanto, era um assunto diferente. Ele, ou parte dele, pertencia por direito à srta. Morstan. Enquanto houvesse uma chance de recuperá-lo, eu estava pronto para dedicar minha vida a um objetivo, embora eu achasse que provavelmente a colocaria fora do meu alcance. No entanto, seria um amor mesquinho e egoísta, se influenciado por tal pensamento. Se Holmes podia trabalhar para encontrar os criminosos, eu tinha uma razão dez vezes mais forte para me incitar a encontrar o tesouro.

Um banho em Baker Street e uma mudança completa de roupa me renovaram maravilhosamente. Quando desci para nossa sala, encontrei o desjejum posto e Holmes servindo o café.

– Aqui está – exclamou, rindo e apontando para um jornal aberto. – O energético Jones e o repórter onipresente já se combinaram. Mas você já ouviu o suficiente do caso. Melhor comer seu presunto com ovos primeiro.

Peguei o jornal e li a pequena nota, intitulada "Mistério em Upper Norwood".

> "Por volta da meia-noite de ontem" – dizia o Standard –, "o Sr. Bartholomew Sholto, de Pondicherry Lodge, Upper Norwood, foi encontrado morto em seu quarto, em circunstâncias que apontam para um crime. Até onde sabemos, não foram encontrados traços reais de violência na pessoa do sr. Sholto, mas foi levada uma valiosa coleção de joias indianas herdadas pelo

cavalheiro falecido de seu pai. A descoberta foi feita primeiro pelo sr. Sherlock Holmes e pelo dr. Watson, que visitavam a casa com o sr. Thaddeus Sholto, irmão do falecido. Por uma singular boa sorte, o sr. Athelney Jones, conhecido membro da força policial investigativa, estava na delegacia de polícia de Norwood e chegou à cena do crime meia hora depois do primeiro alarme. Suas faculdades treinadas e experientes foram imediatamente direcionadas para a investigação dos criminosos, com o resultado gratificante de que o irmão, Thaddeus Sholto, já foi preso, juntamente com a governanta, a sra. Bernstone, um mordomo indiano chamado Lal Rao, e um empregado, ou porteiro, chamado McMurdo. É certo que o ladrão ou os ladrões estavam bem familiarizados com a casa, pois o conhecimento técnico renomado do sr. Jones e seus minuciosos poderes de observação permitiram que ele provasse, de forma conclusiva, que os meliantes não poderiam ter entrado pela porta ou pela janela, mas deviam ter subido pelo telhado do edifício e atravessado um alçapão para um cômodo que se comunicava com aquele onde foi encontrado o corpo. Esse fato, muito claramente compreendido, prova em definitivo que não foi um mero roubo casual. A ação pronta e enérgica dos oficiais da lei mostra a grande vantagem da presença, em tais ocasiões, de uma única mente vigorosa e magistral. Não podemos deixar de pensar que fornece um argumento para aqueles que

desejam ver nossos detetives mais descentralizados,
e trazidos assim em contato mais próximo e efetivo
com os casos que é seu dever investigar."

– Não é lindo? – indagou Holmes, sorrindo sobre a xícara de café. – O que acha disso?

– Acho que escapamos por pouco de sermos presos pelo crime.

– Eu também acho. Agora, não posso responder por nossa segurança se ele decidir ter outro de seus ataques de energia.

Neste momento a campainha soou alta, e eu pude ouvir a sra. Hudson, nossa senhoria, elevando a voz num gemido de admoestação consternada.

– Por Deus, Holmes – reagi, levantando-me um pouco. – Acredito que eles estão realmente atrás de nós.

– Não, não é tão ruim assim. É a força extraoficial, os irregulares de Baker Street.

Enquanto ele falava, ouvimos um rápido tamborilar de pés descalços escada acima, um barulho de vozes altas, e em seguida entrou uma dúzia de moleques de rua sujos e esfarrapados. Houve certa demonstração de disciplina entre eles, apesar de sua entrada tumultuada, pois instantaneamente se puseram em fila diante de nós, com rostos expectantes. Um deles, mais alto e mais velho do que os demais, deu um passo à frente com um ar de superioridade relaxada que era muito engraçada em um pequeno espantalho de tão má reputação.

– Recebi sua mensagem, senhor – iniciou ele –, e os trouxe o mais rápido possível. Três xelins e seis pence pelos bilhetes.

– Aqui está – falou Holmes, pegando um pouco de prata. – No futuro, eles podem se reportar a você, Wiggins, e você a mim. Não posso ter a casa invadida desta forma. No entanto, é bom que todos ouçam as instruções. Quero encontrar o paradeiro de uma lancha a vapor chamada *Aurora*, cujo proprietário é Mordecai Smith, preta com duas listras vermelhas, chaminé preta com uma faixa branca. Ela está descendo o rio em algum lugar. Quero que um menino fique na plataforma de desembarque de Mordecai Smith em frente à Millbank para dizer se o barco voltar. Vocês devem se dividir e cobrir as duas margens minuciosamente. Avisem-me no instante em que tiverem novidades. Ficou tudo claro?

– Sim, patrão – concordou Wiggins.

– A velha tabela de pagamento e um guinéu para o garoto que encontrar o barco. Aqui está um dia de adiantamento. Agora deem o fora! – Ele entregou um xelim a cada um, e então desceram ruidosamente as escadas e logo os vi correndo numa enxurrada pela rua.

– Se a lancha estiver acima da água, eles vão encontrá-la – disse Holmes, ao se levantar da mesa e acender o cachimbo. – Eles podem ir a qualquer lugar, ver tudo, ouvir todo mundo. Espero receber a notícia de que eles a viram, antes do anoitecer. Enquanto isso, não podemos fazer nada, a não ser aguardar os resultados. Não podemos retomar a trilha interrompida até encontrarmos ou a *Aurora* ou o sr. Mordecai Smith.

– Toby poderia comer esses restos, ouso dizer. Você vai para a cama, Holmes?

– Não: eu não estou cansado. Tenho uma constituição curiosa. Não me lembro de nunca sentir cansaço em decorrência do trabalho, embora a ociosidade me esgote completamente. Vou fumar e pensar sobre esse assunto esquisito ao qual minha bela cliente nos apresentou. Se o homem já conheceu uma tarefa fácil, seria esta nossa. Homens de perna-de-pau não são tão comuns, mas o outro homem deve ser, sou levado a crer, absolutamente único.

– De novo esse outro homem!

– Não tenho nenhum desejo de fazer mistério a respeito dele; ao menos para você. Mas creio que já formou uma opinião. Agora, por favor, considere os dados. Pegadas diminutas, dedos nunca agrilhoados por botas, pés descalços, martelo com cabeça de pedra, grande agilidade, pequenos dardos envenenados. O que você extrai disso?

– Um selvagem! – exclamei. – Talvez um dos indianos que eram os associados a Jonathan Small.

– Acho difícil – ponderou ele. – Quando vi pela primeira vez os sinais de armas estranhas, eu estava inclinado a pensar que sim; mas o personagem notável das pegadas me levou a reconsiderar minha opinião. Alguns dos habitantes da península indiana são homens pequenos, mas nenhum poderia ter deixado marcas como essas. O hindu comum tem pés finos e longos. O muçulmano que veste sandálias tem o dedão separado dos demais dedos, pois a tira normalmente passa entre eles. Esses pequenos dardos também só poderiam ser disparados de um jeito. Provêm de uma zarabatana. Portanto, onde encontraremos nosso selvagem?

– Na América do Sul – arrisquei.

Ele estendeu a mão para cima, e pegou um grosso volume da prateleira.

– Este é o primeiro volume de um dicionário geográfico que agora está sendo publicado. Pode ser encarado como a autoridade mais recente no assunto. O que temos aqui? "As Ilhas Andamãs, situadas quinhentos e cinquenta quilômetros ao norte de Sumatra, na Baía de Bengala." Hum! Hum!

O que é tudo isso? Clima úmido, recifes de corais, tubarões, Port Blair, quartel de condenados, Ilha Rutland, choupos... Ah, aqui está. "Os aborígenes das Ilhas Andamãs alegam a distinção de serem, talvez, a menor raça sobre a Terra, embora alguns antropólogos prefiram os bosquímanos da África, os índios Digger da América, e os habitantes da Tierra del Fuego. A altura média é inferior a um metro e vinte, embora possam se encontrar muitos adultos de estatura muito mais baixa. São um povo feroz, rabugento e intratável, apesar de serem capazes de formar os mais devotados laços de amizade quando se consegue ganhar-lhes a confiança." Marque isso aqui, Watson. Agora ouça só: "São naturalmente hediondos, com uma grande cabeça deformada, pequenos olhos ferinos e feições distorcidas. Seus pés e suas mãos, no entanto, são muito pequenos. Tão intratáveis e bravios eles são que todos os esforços do funcionalismo britânico falharam em conquistá-los, em qualquer grau. Sempre foram um terror para as tripulações náufragas, que muitas vezes acabaram descerebradas com porretes de cabeça de pedra, ou levaram tiros de flechas envenenadas. Esses massacres são invariavelmente concluídos com um banquete canibal". Pessoas amigáveis e gentis, Watson! Se esse homem tivesse sido deixado aos próprios recursos e sem ajuda, o assunto poderia ter tomado um rumo ainda mais sangrento. Imagino que, mesmo da forma como aconteceram as coisas, Jonathan Small daria muito para não o ter empregado.

– Mas como ele veio a ter um companheiro tão singular?

– Ah, isso é mais do que eu posso dizer. Entretanto, uma vez que já determináramos que Small vinha das Andamãs, não é muito extraordinário que esse ilhéu viesse com ele. Sem dúvida vamos descobrir tudo a seu respeito no devido tempo. Olhe, Watson;

você parece completamente exausto. Deite-se aqui no sofá e veja se consegue dormir um pouco.

Holmes pegou o violino do canto da sala, enquanto eu me esticava, e começou a tocar uma melodiosa ária baixa e sonhadora, de autoria própria, sem dúvida, pois ele tinha um dom notável para a improvisação. Tenho uma vaga lembrança de seus braços magros, o rosto sério, o subir e descer do arco. Depois pareci ser levado flutuando pacificamente por um mar suave de som até me encontrar na terra dos sonhos, com o doce rosto de Mary Morstan a me observar.

Capítulo 9

• Uma pausa na cadeia •

Já era final de tarde quando acordei, fortalecido e revigorado. Sherlock Holmes ainda estava sentado exatamente como eu o deixara, exceto que havia colocado o violino de lado e estava absorto em um livro. Ele me olhou, quando eu me espreguiçava, e notei que seu rosto estava sombrio e conturbado.

– Você dormiu pesado – contou. – Tive receio de que nossa conversa fosse acordá-lo.

– Não ouvi nada – respondi. – Então teve notícias recentes?

– Infelizmente, não. Confesso que estou surpreso e decepcionado. Já esperava algo definido a essa altura. Wiggins acabou de passar aqui para fazer um relatório. Ele diz que não encontraram nenhum rastro da lancha. Isso é um freio enervante, pois cada hora tem importância.

– Posso fazer alguma coisa? Agora estou perfeitamente renovado e pronto para outro passeio noturno.

– Não, não podemos fazer nada. Só nos resta esperar. Se formos nós mesmos, a mensagem pode chegar durante nossa ausência, e assim causar atrasos. Você pode fazer o que quiser, mas eu devo permanecer de guarda.

– Então vou correr para Camberwell e fazer uma visita para a sra. Cecil Forrester. Ela me convidou, ontem.

– Para a sra. Cecil Forrester? – perguntou Holmes, com o brilho de um sorriso no olhar.

– Bem, é claro, e também à srta. Morstan. Elas estavam ansiosas para ouvir o que aconteceu.

– Eu não lhes contaria muito – alertou Holmes. – Nunca se deve confiar totalmente nas mulheres... Nem na melhor delas.

Não parei para discutir sobre essa opinião atroz.

– Vou estar de volta em uma ou duas horas – comentei.

– Tudo bem! Boa sorte! Porém, eu digo, se você for cruzar o rio, poderia muito bem devolver Toby, pois acredito ser bem provável que agora não teremos mais uso para ele.

Atendi ao pedido e levei nosso vira-lata. Deixei-o junto com meio soberano na casa do velho naturalista em Pinchin Lane. Em Camberwell, encontrei a srta. Morstan um pouco cansada depois de suas aventuras noturnas, mas muito ansiosa para ouvir as notícias. A sra. Forrester também estava cheia de curiosidade. Eu lhes disse tudo o que havíamos feito, suprimindo, no entanto, as partes mais terríveis da tragédia. Assim, embora tenha falado da morte do sr. Sholto, não disse nada sobre a maneira exata ou sobre o método utilizado para a morte. Mesmo com todas as minhas omissões, no entanto, ainda sobrou o suficiente para assustá-las e impressioná-las.

– É um romance! – exclamou a sra. Forrester. – Uma dama prejudicada, meio milhão em tesouro, um canibal negro e um rufião de perna-de-pau. Tomam o lugar do dragão convencional ou do conde perverso.

– E dois cavaleiros errantes ao resgate – acrescentou a srta. Morstan, com um olhar brilhante para mim.

– Ora, Mary, sua fortuna depende dessa busca. Não me parece que esteja nem perto de animada o suficiente. Apenas imagine como deve ser possuir tamanha fortuna e ter o mundo a seus pés!

Causou-me uma pequena alegria no coração perceber que ela não demonstrava nenhum sinal de exaltação com a perspectiva. Pelo contrário, ela ergueu a cabeça com orgulho, como se o assunto lhe causasse pouco interesse.

– É com o sr. Thaddeus Sholto que estou preocupada – esclareceu ela. – O resto não tem importância alguma; mas acho que ele se comportou de forma muito bondosa e honrosa durante todo o tempo. É nosso dever livrá-lo dessa acusação terrível e infundada.

Já era o entardecer quando saí de Camberwell, e estava bem escuro quando cheguei em casa. O livro e o cachimbo do meu companheiro estavam ao lado de sua poltrona, mas ele tinha desaparecido. Olhei em volta na esperança de encontrar um recado, mas não havia nada.

– Suponho que o sr. Sherlock Holmes saiu – eu disse à sra. Hudson, quando ela veio baixar as persianas.

– Não, senhor. Ele foi para o quarto, senhor. O senhor sabe – e baixou a voz até que fosse um sussurro impressionante – que temo pela saúde dele?

– E por que, sra. Hudson?

– Bem, ele está estranho daquele jeito, senhor. Depois que o senhor se foi, ele andou e andou, de um lado para o outro, de um lado para o outro, até que me cansei do som de seus passos. Então eu o ouvi falando sozinho e resmungando, e cada vez que a campainha tocava lá fora, ele vinha ao topo da escada com um "O que era, sra. Hudson?". E agora ele se recolheu ao quarto e bateu a porta, mas posso ouvi-lo andar do mesmo jeito. Espero que ele não vá ficar doente, senhor. Eu me atrevi a lhe dizer alguma coisa sobre remédios para acalmá-lo, mas ele se virou para mim, senhor, com um tal olhar que eu nem sei como consegui sair do cômodo.

– Acredito que a senhora não tem motivo algum para ficar preocupada, sra. Hudson – respondi. – Eu já o vi assim antes. Ele está com uma pequena questão em mente que o está deixando inquieto.

Tentei falar em tom leve com nossa digna senhoria, mas eu mesmo fiquei um tanto preocupado quando, por toda a longa noite, ainda ouvia, de tempos em tempos, o som abafado de seu andar, e soube como seu espírito aguçado estava ficando irritado com aquela inação involuntária.

Na hora do desjejum ele parecia desgastado e abatido, com uma pequena mancha de cor febril sobre cada bochecha.

– Você está se desgastando, meu velho – comentei. – Ouvi você marchar de um lado para o outro durante a noite.

– Não, eu não consegui dormir – ele respondeu. – Esse problema infernal está me consumindo. É demais ficar empacado por um obstáculo tão insignificante, quando todo o resto já foi superado. Sei quem são os homens, a lancha, tudo; e ainda assim, não consigo novidades. Já coloquei outros agentes ao trabalho e usei todos os meios à minha disposição. Buscas foram feitas em todo o rio, em ambas as margens, mas não há nada novo, e a sra. Smith também não teve notícias do marido. Logo vou chegar à conclusão de que eles afundaram o barco. Porém, há objeções quanto a isso.

– Ou que a sra. Smith nos colocou numa pista errada.

– Não, eu acho que isso pode ser descartado. Mandei fazerem investigações e existe uma lancha com aquela descrição.

– Poderia ter subido o rio?

– Também considerei essa possibilidade, e há um grupo de busca que vai trabalhar num raio que alcança Richmond. Se nenhuma notícia chegar hoje, eu mesmo vou começar amanhã e vou atrás dos homens, não do barco. Mas certamente, certamente, vamos descobrir alguma coisa.

Não descobrimos, porém. Nem uma palavra chegou até nós, quer fosse de Wiggins ou de outros agentes. Havia artigos na maioria dos jornais sobre a tragédia em Norwood. Todos pareciam um tanto hostis em relação ao infeliz Thaddeus Sholto. Nenhum novo detalhe pôde ser encontrado, no entanto, em nenhum deles, exceto pelo inquérito que seria realizado no dia seguinte. Fui até Camberwell à noite para relatar nossa falta de sucesso às senhoras e, quando voltei, encontrei Holmes deprimido e um pouco taciturno. Quase não respondia às minhas perguntas e ocupou-se durante toda a noite em uma análise química abstrusa que envolvia muito aquecimento de retortas e destilação de vapores, e que resultou, enfim, num odor que quase me expulsou do apartamento. Até a madrugada eu ouvi o tilintar de tubos de ensaio que me diziam que ele ainda estava envolvido em seu experimento malcheiroso.

No início da aurora, acordei com um sobressalto, e fiquei surpreso ao encontrá-lo em pé ao meu lado, vestido em trajes grosseiros de marinheiro, com um casaco e um cachecol vermelho rústico ao redor do pescoço.

– Estou de partida, vou descer o rio, Watson – avisou ele. – Essa questão está se revolvendo na minha mente e eu só consigo enxergar uma saída. Vale a pena tentar, de qualquer forma.

– Certamente posso acompanhá-lo, então? – indaguei.

– Não; você pode ser muito mais útil se ficar aqui como meu representante. Estou relutante em ir, pois é bastante previsível que alguma mensagem possa chegar durante o dia, embora Wiggins estivesse desanimado a esse respeito ontem à noite. Quero que abra todos os recados e telegramas que receber e que aja segundo seu discernimento se qualquer notícia chegar. Posso confiar em você?

– Com toda certeza.

– Receio que você não será capaz de me enviar telegramas, pois não sei dizer onde posso vir a me encontrar. Se eu tiver sorte, no entanto, talvez não fique fora por muito tempo. De qualquer forma, terei notícias antes de voltar.

Eu ainda não ouvira nada a seu respeito até a hora do desjejum. Quando abri o *Standard*, entretanto, descobri que havia uma nova alusão ao caso.

"Com referência à tragédia de Upper Norwood, temos razão para acreditar que a questão promete ser ainda mais complexa e misteriosa do que se supunha no início. Novas provas demonstram ser completamente impossível que o sr. Thaddeus Sholto possa ter qualquer envolvimento no caso. Ele e a governanta, a sra. Bernstone, foram soltos ontem à noite. Acredita-se, no entanto, que a polícia tem uma pista sobre os verdadeiros culpados, e que ela está sendo processada pelo sr. Athelney Jones, da Scotland Yard, com toda a sua energia e sagacidade renomadas. Podem-se esperar mais prisões a qualquer momento."

"Por enquanto, isso é satisfatório", pensei eu. "De qualquer modo, o amigo Sholto está seguro. Gostaria de saber que nova pista pode ser essa; embora já pareça ser uma fórmula estereotipada, sempre que a polícia comete um disparate."

Joguei o jornal sobre a mesa; contudo, naquele momento, meu olho notou um anúncio na coluna de assuntos pessoais. Dizia assim:

"Desaparecidos. Considerando que Mordecai Smith, barqueiro, e seu filho, Jim, partiram de Smiths's Wharf por volta das três horas da manhã da última terça-feira, na lancha a vapor *Aurora*, preta com duas listras vermelhas e chaminé preta com uma faixa branca, a soma de cinco libras será paga a quem puder dar informações à sra. Smith, em Smith's Wharf, ou em Baker Street, 221B, sobre o paradeiro do referido Mordecai Smith e da lancha *Aurora*."

Claramente isso era obra de Holmes. O endereço de Baker Street bastava como prova. Parecia-me bastante engenhoso, pois poderia ser lido pelos fugitivos sem que tivessem possibilidade de enxergar nada além da preocupação natural de uma esposa por seu marido desaparecido.

Foi um longo dia. Toda vez que alguém batia à porta, ou que um passo apressado passava na rua, eu imaginava que era Holmes retornando ou uma resposta a seu anúncio. Eu tentava ler, mas meus pensamentos se desviavam para nossa estranha missão e para a dupla improvável e avilanada a quem estávamos perseguindo. Poderia haver, eu refletia, alguma falha radical no raciocínio do meu companheiro. Será que ele estava padecendo de um enorme autoengano? Não era possível que sua mente ágil e especulativa houvesse construído aquela teoria maluca em cima de premissas falsas, era? Eu nunca soube de ocasião em que ele estivera errado; e, mesmo assim, o pensador mais astuto pode ocasionalmente se enganar. Era provável, pensei, que ele incorresse em erro por causa do refinamento excessivo de sua lógica; por sua preferência pelas explicações sutis e bizarras quando uma outra, mais simples e corriqueira, estivesse pronta em sua mão. Mesmo assim, por outro lado, eu tinha visto as provas com meus próprios olhos, e tinha ouvido as razões para as deduções de Holmes. Quando olhava para trás e refletia sobre a longa cadeia de circunstâncias curiosas, muitas delas triviais em si mesmas, mas todas tendendo à mesma direção, eu não podia mascarar o fato de que, mesmo que a explicação de Holmes fosse incorreta, a verdadeira teoria deveria ser extravagante e surpreendente na mesma proporção.

Às três horas da tarde, houve um repique alto no sino da campainha, uma voz autoritária no corredor e, para minha surpresa, ninguém menos do que o sr. Athelney Jones me foi apresentado. Muito diferente ele estava, no entanto, do professor do senso comum, desabrido e magistral, que assumira o caso com tanta confiança em Upper Norwood. Sua expressão era muito desanimada, e sua postura, mansa e até mesmo arrependida.

— Bom dia, senhor; bom dia — cumprimentou. — O sr. Sherlock Holmes está fora, eu presumo.

— Sim, e não posso afirmar com certeza quando ele voltará. No entanto, talvez, o senhor pudesse esperar. Pegue aquela cadeira e experimente um desses charutos.

— Obrigado; não faria mal — aceitou, enxugando o rosto com um lenço vermelho.

— E um uísque com soda?

— Bem, meio copo. Está muito quente para a época do ano; e tive uma boa dose de preocupações e provações. Conhece minha teoria sobre esse caso Norwood?

— Eu me lembro que o senhor expressou uma.

— Bem, fui obrigado a reconsiderá-la. Apertei minha rede ao redor do sr. Sholto, senhor, mas ele conseguiu passar por um buraco no meio dela. Foi capaz de provar um álibi que não podia ser questionado. Desde o momento em que ele saiu do quarto de seu irmão, nunca ficou longe das vistas de uma ou outra pessoa. Portanto, não poderia subir em telhados e passar por alçapões. É um caso muito obscuro, e meu crédito profissional está em jogo. Eu ficaria muito contente com um pouco de ajuda.

– Nós todos precisamos de ajuda, às vezes – disse eu.

– Seu amigo, o sr. Sherlock Holmes, é um homem maravilhoso, senhor – falou, com uma voz rouca e confidencial. – É um homem que não pode ser derrotado. Eu já vi aquele rapaz entrar em um bom número de casos, mas nunca vi um caso o qual ele não conseguisse trazer às claras. É irregular em seus métodos, e um pouco apressado, talvez, em saltar para teorias; mas, no geral, acho que ele teria se tornado um oficial muito promissor, e não me importa que ele saiba disso. Recebi um telegrama dele esta manhã, no qual entendo que ele descobriu alguma pista desse caso, que diz respeito a Sholto. Eis a mensagem.

Ele pegou o telegrama do bolso e entregou-o para mim. Era datado de Poplar, às doze horas.

Vá para Baker Street o quanto antes. Se eu não tiver retornado, espere por mim. Estou no encalço da quadrilha Sholto. Pode vir conosco esta noite se quiser estar presente no desfecho.

– Isso soa bem. É evidente que ele reencontrou o rastro da investigação – observei.

– Ah, então ele também estava perdido! – exclamou Jones, com evidente satisfação. – Mesmo os melhores de nós, às vezes, ficam sem saber o que fazer. Claro que isso pode vir a ser um alarme falso; mas é meu dever, como um oficial da lei, não permitir que nenhuma chance escape. Mas há alguém à porta. Talvez seja ele.

Um passo pesado foi ouvido subindo a escada, além do ruído de respiração ofegante e chiada, como se pertencente a um homem com profunda falta de ar. Uma ou duas vezes ele parou, como se a subida fosse demais; porém, finalmente, chegou à nossa porta e entrou. Sua aparência correspondia aos sons que ouvíramos. Era um homem idoso, vestido em trajes de marinheiro, com um velho casaco abotoado até o pescoço. Suas costas eram curvadas, seus joelhos tremiam, e sua respiração era dolorosamente asmática. Apoiado sobre um grosso cajado de carvalho, seus ombros subiam e desciam com o esforço de sugar o ar para dentro dos pulmões. Tinha um lenço colorido em volta do queixo, e eu podia ver pouco de seu rosto, salvo por um par de olhos escuros penetrantes, sobrancelhas brancas e espessas e longas suíças cinzentas. No conjunto, ele me dava a impressão de um mestre marinheiro respeitável que havia caído em anos de pobreza.

– O que foi, meu senhor? – perguntei.

Ele olhou em volta na forma lenta e metódica da velhice.

– O sr. Sherlock Holmes está aqui? – perguntou.

– Não; mas eu o represento. O senhor pode dizer a mim qualquer mensagem que tiver para ele.

– Eu deveria dizer em pessoa – respondeu o homem.

– Mas lhe digo que eu o represento. É sobre o barco de Mordecai Smith?

– Sim. Sei bem onde ele está. E sei onde estão os homens que ele procura. E sei onde está o tesouro. Sei tudo.

– Então me diga, e eu transmitirei a mensagem.

— É para ele que devo dizer — repetiu, com a obstinação petulante de um homem muito velho.

— Bem, então deve esperar por ele.

— Não, não; eu não vou perder um dia inteiro para agradar ninguém. Se o sr. Holmes não está aqui, então o sr. Holmes deve descobrir tudo por conta própria. Não me importo com o olhar de nenhum de vocês, e não vou dizer uma palavra.

Ele se arrastou em direção à porta, mas Athelney Jones se pôs em sua frente.

— Espere um pouco, meu amigo. O senhor tem informações importantes, e não deve ir embora. Vamos mantê-lo aqui, quer queira quer não, até nosso amigo retornar.

O velho deu uma corridinha em direção à porta, mas, quando Athelney Jones colocou as largas costas contra ele, o idoso reconheceu a inutilidade da resistência.

— Belo tipo de tratamento! — gritou, batendo o cajado. — Venho aqui para ver um cavalheiro, e vocês dois, que eu nunca vi na minha vida, agarram-me e me tratam desta maneira!

— Não sairá perdendo — afirmei. — Iremos recompensá-lo pela perda do seu tempo. Sente-se aqui no sofá e não vai precisar esperar muito.

Ele voltou com um belo mau humor e sentou-se com o rosto apoiado nas mãos. Jones e eu retomamos nossos charutos e nossa conversa. De repente, no entanto, a voz de Holmes nos pegou de surpresa:

— Acredito que vocês poderiam me oferecer um charuto também.

Nós dois levamos um susto. Ali estava Holmes, sentado perto de nós com um ar de diversão tranquila.

— Holmes! — exclamei. — Você aqui! Mas onde está o velho?

– Aqui está o velho – revelou ele, segurando um monte de cabelos brancos. – Aqui está ele: peruca, suíças, sobrancelhas e todo o resto. Achei que meu disfarce era muito bom, mas não esperava que fosse passar no teste.

– Ah, seu trapaceiro! – exclamou Jones, encantado. – Poderia ser ator, e um dos bons. Conseguiu até passar com veracidade a tosse de asilo, e aquelas pernas fracas valeriam dez libras por semana. Porém, desconfiei do brilho no seu olho. Não escapou de nós tão facilmente, viu só?

– Trabalhei nesse traje durante todo o dia – comentou, ao acender o charuto. – Entendam, uma boa parte das classes de criminosos passou a me reconhecer, ainda mais depois que nosso amigo aqui passou a publicar alguns dos meus casos. Portanto, agora só posso sair para a guerra debaixo de um disfarce simples como esse. Recebeu meu telegrama?

– Sim; foi o que me trouxe aqui.

– Como seu caso prosperou?

– Não chegou a lugar nenhum. Tive que liberar dois dos meus prisioneiros, e não há nenhuma prova contra os outros dois.

– Deixe estar. Vamos lhe dar outros dois no lugar daqueles. Mas o senhor deve se colocar debaixo das minhas ordens. Pode ficar, de bom grado, com todo o crédito, mas deve agir seguindo a linha que eu lhe apontar. De acordo?

– Totalmente, se o senhor me ajudar com os homens.

– Bem, então, em primeiro lugar, gostaria de um barco policial veloz, uma lancha a vapor, em Westminster Stairs, às sete horas.

– Isso é fácil de conseguir. Sempre há uma por lá; mas posso atravessar a rua e telefonar para ter certeza.

– Então gostaria de dois homens robustos, para o caso de haver resistência.

– Haverá dois ou três no barco. O que mais?

– Quando capturarmos os homens, devemos pegar o tesouro. Acredito que será um prazer para meu amigo aqui levar a caixa para a jovem dama a quem metade do conteúdo pertence por direito. Que ela seja a primeira a abrir a arca. E então, Watson?

– Para mim seria um grande prazer.

– Procedimento um tanto irregular – discordou Jones, balançando a cabeça. – No entanto, a coisa toda é irregular, e suponho que vamos ter de fazer vistas grossas quanto a isso. O tesouro deve então ser entregue às autoridades até depois da investigação oficial.

– Certamente. Isso é fácil. Um outro ponto. Gostaria muito de obter dos lábios de Jonathan Small alguns detalhes sobre esse problema. O senhor sabe que gosto de esmiuçar os detalhes dos meus casos. Não há nenhuma objeção a eu ter uma entrevista informal com ele, seja aqui no meu apartamento ou em algum outro lugar, contanto que ele esteja acompanhado de segurança adequada, há?

– Bem, o senhor é o dono da situação. Ainda não tive provas da existência desse Jonathan Small. Entretanto, se puder pegá-lo, não vejo por que eu poderia recusar uma entrevista com ele.

– Então está tudo entendido?

– Perfeitamente. Mais alguma coisa?

– Apenas eu insisto em que jante conosco. A refeição estará pronta em meia hora. Tenho ostras e um par de tetrazes, com uma pequena seleção de vinhos brancos. Watson, você ainda não conheceu meus méritos como dono de casa!

Capítulo 10

• O FIM DO SELVAGEM •

Nossa refeição foi alegre. Holmes sabia conversar extremamente bem quando se propunha, e, naquela noite, ele se propôs. Parecia se encontrar num estado de exaltação nervosa. Nunca o vi tão brilhante. Ele falou sobre uma sucessão rápida de assuntos – peças de milagres, cerâmica medieval, violinos Stradivarius, o budismo do Ceilão e os navios de guerra do futuro –, e de cada um, como se tivesse feito um estudo especial. O humor vivaz marcava reação à depressão negra que tivera nos dias anteriores. Athelney Jones mostrou ser uma alma sociável nas horas de relaxamento, e encarou seu jantar com o ar de um *bon vivant*. Já eu, por minha parte, senti júbilo pelo pensamento de que estávamos chegando ao fim da nossa tarefa, e absorvi um pouco da alegria de Holmes. Nenhum de nós aludiu, durante o jantar, à causa que nos unira.

Quando a mesa foi limpa, Holmes olhou para o relógio e serviu três taças com vinho do Porto.

– Um brinde – pediu ele – ao sucesso da nossa pequena expedição. E agora é tempo de partirmos. Tem uma pistola, Watson?

— Tenho meu antigo revólver do exército na minha escrivaninha.

— Então é melhor levá-lo. É bom estar preparado. Vejo que um carro de aluguel está à porta. Encomendei um para as seis e meia.

Era um pouco depois das sete, quando chegamos ao cais de Westminster e encontramos nossa lancha à espera. Holmes observou-a com olhar crítico.

— Existe alguma coisa que a identifique como barco policial?

— Sim, a luz verde ao lado.

— Então tire-a.

A pequena alteração foi feita, nós embarcamos e as cordas foram lançadas. Jones, Holmes e eu nos sentamos na popa. Havia um homem no leme, um para cuidar dos motores, e dois inspetores de polícia corpulentos à frente.

— Para onde? – perguntou Jones.

— Para a Torre. Diga-lhes para parar em frente ao Estaleiro de Jacobson.

Nossa embarcação era, evidentemente, muito veloz. Disparamos ao largo das longas filas de barcaças carregadas como se fossem estacionárias. Holmes sorriu com satisfação quando ultrapassamos um vapor e o deixamos para trás.

— Devemos ser capazes de alcançar qualquer coisa no rio – disse ele.

— Bem, dificilmente. Mas não há muitas lanchas que nos vençam.

— Teremos de alcançar a *Aurora*, e ela tem fama de ser veloz. Vou atualizá-lo, Watson. Lembra-se de como fiquei aborrecido ao ser detido por algo tão pequeno?

— Lembro.

– Bem, dei um descanso profundo à minha mente quando mergulhei em uma análise química. Um dos nossos maiores estadistas disse que uma mudança de trabalho é o melhor descanso. E de fato é. Quando consegui a dissolução do hidrocarboneto no qual estava trabalhando, voltei para nosso problema dos Sholto, e repensei toda a questão desde o início. Meus garotos haviam subido e descido o rio sem resultado. A lancha não estava em nenhum ancoradouro ou cais, nem havia retornado. No entanto, dificilmente poderia ter sido afundada para esconder seus rastros; embora essa sempre restasse como uma hipótese plausível se todo o resto falhasse. Eu sabia que esse Small tinha um certo grau de astúcia, mas não o considerava capaz de nada de natureza refinada. Esse tipo de coisa geralmente é um produto de escolaridade mais elevada. Então, refleti que, já que ele com certeza estava em Londres havia algum tempo, pois tínhamos provas de que mantinha uma vigilância constante em Pondicherry Lodge, a custo ele poderia partir de uma hora para a outra; em vez disso, precisaria de algum tempo, nem que fosse um dia, para organizar seus assuntos. De qualquer forma, esse, ao menos, era o saldo de probabilidade.

– Parece-me um pouco fraco – considerei. – É mais provável que ele tivesse cuidado de seus assuntos antes mesmo de partir em sua expedição.

– Não, acho difícil. Seu covil seria um retiro muito valioso em caso de necessidade, para que abrisse mão dele antes de ter certeza de que poderia se virar sem. Contudo, pensei numa segunda consideração. Jonathan Small deve ter sentido que a aparência peculiar de seu companheiro, por mais que pudesse tê-lo coberto com um sobretudo, daria margem à fofoca e possivelmente seria associado a essa tragédia de Norwood. Ele era bem astuto para perceber esse fato. Os comparsas partiram de seu quartel-general sob a cobertura da escuridão, e teriam desejado voltar antes que o dia estivesse claro. Veja bem, já passava das três, de acordo com a sra. Smith, quando embarcaram. Estaria bem claro, e as pessoas estariam circulando pelas ruas dali a uma hora, mais ou menos. Portanto, argumentei, eles não foram muito longe. Pagaram bem para que Smith ficasse de bico calado, reservaram sua lancha para a fuga final e correram para onde estavam hospedados, levando a caixa do tesouro consigo. Em algumas noites, quando tivessem tempo de ver que posição os jornais tomariam, e se havia alguma suspeita, eles seguiriam, sob a cobertura da escuridão, até algum navio em Gravesend, ou em Downs, onde, sem dúvida, já tinham providenciado passagens para a América ou para as Colônias.

– Mas, e a lancha? Eles não a poderiam levar para o alojamento.

– Isso mesmo. Argumentei que a lancha não deve estar muito longe, apesar de sua invisibilidade. Depois, eu me coloquei no lugar de Small e encarei a situação como faria um homem de sua capacidade. Ele provavelmente consideraria que enviar a lancha de volta ou mantê-la em um cais facilitaria a perseguição, se a polícia porventura encontrasse seu rastro. Como, então, ele poderia ocultar a lancha e ainda assim tê-la à mão quando precisasse? Fiquei me perguntando o que faria se estivesse no lugar dele. Eu só poderia pensar em uma solução. Poderia entregar a lancha a algum fabricante ou consertador de barcos, com instruções para fazer nela alterações insignificantes. A lancha, então, seria removida para seu galpão, ou doca seca, e assim poderia ser escondida efetivamente, enquanto, ao mesmo tempo, eu poderia tê-la ao meu dispor dali a algumas horas.

– Parece bem simples.

– A questão é que essas coisas muito simples são extremamente suscetíveis de serem negligenciadas. Entretanto, eu me determinei a agir de acordo com essa ideia. Parti imediatamente naqueles trajes de marinheiro inofensivo e fiz perguntas em todos os estaleiros rio abaixo. Em quinze, não obtive nada, mas no décimo sexto – o de Jacobson –, descobri que a *Aurora* havia sido entregue a eles, dois dias antes, por um homem de perna-de-pau, que deu instruções triviais a respeito do leme. "Não tem nada de errado, não, com o leme dela", disse o capataz. "Lá está, com as listras vermelhas." Nesse momento, quem chegou, se não Mordecai Smith, o proprietário desaparecido? Havia bebido além da conta. Eu não deveria, naturalmente, tê-lo reconhecido, mas ele bradou seu nome e o nome de sua lancha. "Quero que esteja pronta esta noite, às oito horas", disse ele, "oito em ponto, preste atenção, pois tenho dois cavalheiros que não podem ficar esperando". Era evidente que o tinham pago bem, pois ele estava cheio de dinheiro, lançando xelins para os homens. Segui-o a certa distância, mas ele ficou numa cervejaria; portanto, voltei para o estaleiro e, calhando de encontrar um dos meus moleques no caminho, deixei-o estacionado como sentinela sobre a lancha. Ele vai ficar na beira da água e acenar o lenço para nós quando eles partirem. Ficaremos na água, no sentido da corrente, e será muito improvável não pegarmos homens, tesouros e todo o resto.

– Planejou tudo com muito esmero, quer eles sejam os homens certos ou não – opinou Jones –, mas, se o caso estivesse nas minhas mãos, eu teria colocado um corpo de polícia no estaleiro de Jacobson e teria prendido todos quando saíssem.

– O que teria sido nunca. Esse homem, Small, é um sujeito muito astuto. Enviaria um batedor à frente, e se algo lhe causasse suspeita, ficaria escondido por outra semana.

– Mas você deveria ter ficado com Mordecai Smith, e assim teria sido levado para o esconderijo – observei.

– Nesse caso, eu teria perdido meu dia. Aposto cem para um que Smith não sabe onde eles vivem. Contanto que tenha sua bebida e um bom pagamento, por que fazer perguntas? Eles enviam mensagens sobre o que fazer. Não, eu pensei em todos os cursos possíveis de ação, e esse é o melhor.

Enquanto essa conversa prosseguia, passávamos em disparada por uma série de pontes que cruzam o Tâmisa. Ao passarmos pela City, os últimos raios de Sol projetavam um brilho dourado sobre a cruz no pináculo da catedral de St. Paul. Era o crepúsculo quando chegamos à Torre.

– Aquele é o estaleiro de Jacobson – informou Holmes, apontando para um conjunto eriçado de mastros e cordames do lado de Surrey. – Navegue lentamente aqui de um lado para o outro, por essa fileira de chatas. – Ele pegou um par de binóculos noturnos do bolso e observou por algum tempo na direção da costa. – Vejo meu sentinela no posto – comentou –, mas nem sinal de um lenço.

– Imagino que devemos descer com a corrente por um trecho curto e ficarmos ali, à espera deles – opinou Jones, com ansiedade. Estávamos todos ansiosos a essa altura, até mesmo os policiais e os foguistas, que tinham uma ideia muito vaga do que estava acontecendo.

– Não temos direito de tomar nada como certo – respondeu Holmes. – Sem dúvida, podemos apostar dez para um que eles vão descer o rio, mas não podemos ter certeza. Deste ponto, podemos ver a entrada do estaleiro, mas eles dificilmente podem nos avistar. Será uma noite clara e bem iluminada. Devemos ficar onde estamos. Vejam como as pessoas se movimentam em conjunto por ali, sob os lampiões a gás.

– Estão saindo do trabalho no estaleiro.

– Malandros de aparência suja, mas suponho que tenham alguma fagulha imortal dentro de si, escondida. Não seria de se pensar, olhando para eles. Não há nenhuma probabilidade *a priori* quanto a isso. Um estranho enigma é o homem!

– Alguns o chamam de uma alma escondida dentro de um animal – sugeri.

– Winwood Reade é bom nesse assunto – disse Holmes. – Ele afirma que, enquanto o homem, individualmente, é um quebra-cabeças insolúvel, no agregado se torna uma certeza matemática. Não é possível, por exemplo, prever o que qualquer homem fará, mas é possível dizer com precisão o que se espera de um número médio. Os indivíduos variam, mas as porcentagens permanecem constantes. Assim diz o estatístico. Mas estou vendo um lenço? Com certeza há um farfalhar branco ali adiante.

– Sim, é o seu garoto! – declarei. – Consigo vê-lo muito bem.

– E ali está a *Aurora* – exclamou Holmes –, e correndo como o diabo! A toda velocidade, capitão. Siga aquela lancha com a luz amarela. Pelos céus, nunca vou me perdoar se não a alcançarmos!

Ela havia deslizado da entrada do estaleiro sem que ninguém a visse e passado atrás de duas ou três pequenas embarcações, de forma que já assumira velocidade total quando a avistamos. Agora voava rio abaixo, margeando a costa, em um ritmo tremendo. Jones olhou-a com gravidade e sacudiu a cabeça.

– Ela é muito veloz – disse ele. – Duvido que vamos alcançá-la.

para medir, com um olhar, a distância que ainda nos separava. Mais e mais nos aproximamos. Jones gritou para que parassem. Não estávamos a uma distância superior ao equivalente a quatro barcos, e ambas as lanchas voavam em ritmo tremendo. Era uma extensão de rio sem obstáculos, com Barking Level de um lado, e os melancólicos Plumstead Marshes, do outro. Aos nossos brados, o homem na popa deu um salto sobre o convés e sacudiu os dois punhos cerrados para nós, praguejando em uma voz aguda e esganiçada. Era um homem poderoso e de bom tamanho, e se posicionava com as pernas afastadas de modo que eu via, do lado direito, que uma delas era um toco de madeira a partir da coxa. Ao som de seus gritos estridentes e raivosos, houve mais movimento no volume amontoado sobre o convés. O objeto escuro se endireitou e se transformou num homenzinho negro – o menor que eu já vira –, com uma cabeça grande e deformada, e um tufo de cabelo emaranhado e bagunçado. Holmes já havia sacado o revólver, e eu também saquei o meu, diante da visão daquela criatura selvagem e distorcida. Ele estava enrolado em algum tipo de casaco pesado ou cobertor, que só deixava seu rosto à mostra; mas a face era suficiente para proporcionar uma noite em claro a um homem. Nunca eu vira feições tão profundamente marcadas por toda bestialidade e crueldade. Seus olhinhos reluziam e queimavam com uma luz macabra, e seus lábios grossos estavam arreganhados e expunham dentes que sorriam e rangiam para nós com fúria animalesca.

– Disparem se ele erguer as mãos – alertou Holmes, em tom comedido. Agora estávamos à distância de um barco, e quase tocando nossa presa. Ainda agora posso ver os dois em pé, o homem branco com as pernas bem afastadas, praguejando num guinchado, e o anão ímpio com a cara horrenda e os dentes fortes e amarelos, rangendo-os para nós à luz do nosso farolete.

Ainda bem que tínhamos uma visão tão clara dele. Diante dos nossos olhos, ele tirou de dentro do manto um pedaço de madeira curto e arredondado, como uma régua escolar, e o levou aos lábios. Nossos disparos ecoaram ao mesmo tempo. Ele girou, jogou os braços para o alto, e com um tipo de tosse sufocada, caiu de lado no rio. Tive um vislumbre de seus olhos venenosos e ameaçadores entre a espuma branca das águas. No mesmo instante, o homem da perna-de-pau se jogou sobre o leme e puxou-o para baixo com força, o que provocou em seu barco uma guinada direta para a margem sul, enquanto nós passamos a toda velocidade pela popa da lancha, a apenas a alguns metros de provocar uma colisão. Estávamos atrás dela em um instante, mas a lancha já estava quase na margem. Era um lugar selvagem e desolado, onde a Lua reluzia sobre uma grande extensão de pântano, com piscinas de água parada e porções de vegetação apodrecida. A lancha subiu o barranco de lama com uma batida seca, com a proa erguida no ar e a popa na linha da água. O fugitivo saltou para fora, mas a perna-de-pau afundou instantaneamente no solo lamacento. Em vão ele se esforçou e se contorceu. Nenhum passo conseguia dar para frente ou para trás. Ele urrou com fúria impotente e chutou, desesperado, a lama com o outro pé, mas seus esforços só enfiaram a perna-de-pau cada vez mais fundo no barranco pegajoso. Quando levamos nossa lancha ao lado da sua, ele estava ancorado tão firmemente, que só foi depois de jogarmos a ponta de uma corda sobre seus ombros, que pudemos tirá-lo dali, e arrastá-lo, como um peixe maléfico, até o nosso lado. Os dois Smith, pai e filho, estavam sentados com ar soturno em sua lancha, mas vieram a bordo da nossa embarcação de forma um tanto dócil quando receberam ordens. A própria *Aurora* nós puxamos e a prendemos à nossa popa. Uma arca de ferro sólido, de manufatura indiana, estava sobre o convés. Esta, não poderia haver questionamento, era a mesma que continha o tesouro agourento dos Sholto. Não havia chave, mas era de peso considerável, por isso a transferimos cuidadosamente para nossa pequena cabine. Quando começamos a subir o rio lentamente no caminho de volta, direcionamos nosso holofote em todas as direções, mas não encontramos sinal do selvagem. Em algum lugar na lama no fundo do Tâmisa estão os ossos daquele estranho visitante da nossa costa.

– Veja aqui – revelou Holmes, apontando para a escotilha de madeira. – Quase não fomos rápidos o suficiente com as pistolas. – Ali, com toda certeza, logo atrás de onde estivéramos, jazia preso um daqueles dardos que conhecíamos tão bem. Deve ter passado zunindo entre nós no instante em que disparamos as armas de fogo. – Holmes sorriu para o dardo e encolheu os ombros de seu jeito despreocupado, mas eu confesso que me dava náusea pensar na morte terrível que passara tão perto de nós aquela noite.

Capítulo 11

• O GRANDE TESOURO DE AGRA •

Nosso prisioneiro estava sentado na cabine, em frente à caixa de ferro que havia nos custado tanto esforço e tanto tempo para obtê-la. Era um sujeito queimado de Sol, de olhos despreocupados, com uma rede de linhas e rugas pelas feições cor de mogno, o que falava de uma vida dura ao ar livre. Havia uma proeminência singular em seu queixo barbudo, a marca de um homem que não seria dissuadido facilmente de seus propósitos. Sua idade poderia ser cinquenta anos, ou algo nessa faixa, pois seus cabelos longos e ondulados estavam bem salpicados de cinza. Seu rosto em repouso não era desagradável, embora as sobrancelhas pesadas e o queixo agressivo lhe dessem, como eu vira recentemente, uma expressão terrível quando tomada pela raiva. Agora estava sentado com as mãos algemadas sobre o colo, e a cabeça afundada no peito, e olhava com seus olhos astutos e reluzentes para a caixa que fora o motivo de seus maus atos. Pareceu-me que havia mais pesar do que raiva em seu semblante rígido e contido. Uma vez ele ergueu os olhos para mim com um brilho que tinha algo de humor.

– Bem, Jonathan Small – começou Holmes, acendendo o charuto –, lamento que tenhamos chegado a esse ponto.

— Eu também, senhor — ele respondeu, com franqueza. — Não acredito que possa ser enforcado pelo trabalho. Dou-lhe minha palavra sobre o livro que eu nunca ergui a mão contra o sr. Sholto. Foi aquele pequeno cão do inferno, Tonga, que disparou um daqueles dardos malditos. Não tive parte, senhor. Fiquei tão aflito como se tivesse sido um parente meu. Espanquei o diabinho com a ponta solta da corda por causa disso, mas foi feito, e eu não podia desfazer.

— Pegue um charuto — convidou Holmes —, e é melhor tomar um gole do meu frasco, pois você está ensopado. Como pôde supor que um homem tão pequeno e fraco como esse sujeito negro dominasse o sr. Sholto e o segurasse enquanto você subia na corda?

— O senhor parece saber tanto sobre o caso como se tivesse estado lá. A verdade é que eu esperava encontrar o quarto vazio. Eu conhecia muito bem os hábitos da casa, e era a hora que o sr. Sholto costumava descer para o jantar. Não vou guardar segredo; a melhor defesa que posso fazer é dizer apenas a simples verdade. Agora, se fosse o velho major, eu teria encarado a forca com o coração leve. Esfaqueá-lo não teria me custado mais do que fumar este charuto. Mas é uma dureza infernal que eu deva ser condenado por causa desse jovem Sholto, com quem eu não tinha desavença nenhuma.

— Você está sob a responsabilidade do sr. Athelney Jones, da Scotland Yard. Ele vai levá-lo ao meu apartamento, e eu vou lhe fazer perguntas para obter um relato verdadeiro do caso. Não deve ocultar nada, pois espero poder ser útil para você. Acho que consigo provar que o veneno age tão rápido, que o homem já tinha morrido antes de você chegar ao quarto.

— E tinha mesmo, senhor. Nunca levei susto tão grande na minha vida como quando o vi com os dentes arreganhados e a cabeça encostada no ombro, assim que subi pela janela. Aquilo me deixou bem abalado, senhor. Eu teria quase matado Tonga pelo feito se ele já não tivesse se mandado. Foi assim que acabou deixando o porrete e também alguns dos dardos, como ele me contou, o que eu me atrevo a dizer que ajudou o senhor a encontrar nosso rastro; embora como foi que o seguiu seja mais do que eu posso afirmar. Não sinto nenhum rancor contra o senhor, mas parece uma coisa estranha, ele acrescentou, com um sorriso amargo, que eu, que tenho um direito justo ao valor de quase meio milhão, devesse passar a primeira metade da minha vida construindo um quebra-mar nas Ilhas Andamãs, e provavelmente vá passar a outra metade cavando esgotos na prisão em Dartmoor. Foi um dia maléfico para mim aquele em que vi o mercador Achmet pela primeira vez e acabei envolvido no tesouro de Agra, que nunca trouxe nada além de maldição para o homem quem o possuía. A ele, o tesouro trouxe assassinato; ao major Sholto, trouxe medo e culpa; e a mim, significou escravidão por toda a vida.

Neste momento, Athelney Jones enfiou o rosto largo e os ombros pesados dentro da cabine minúscula.

– Praticamente uma reunião familiar – ele comentou. – Acho que vou tomar um gole daquele frasco, Holmes. Bem, acho que todos podemos parabenizar uns aos outros. Uma pena que não pegamos o outro homem vivo; mas não havia escolha. Eu digo, Holmes, deve admitir que foi por pouco. Quase que não conseguimos ultrapassar a lancha.

– Tudo deu certo no fim – respondeu Holmes. – Mas eu certamente não sabia que a *Aurora* era tão veloz.

– Smith diz que é uma das lanchas mais velozes do rio, e que se ele tivesse outro homem para ajudá-lo com as máquinas, nunca a teríamos alcançado. Ele jura que não sabia nada desse assunto de Norwood.

– Nem eu! – exclamou nosso prisioneiro. – Nem uma palavra. Escolhi aquela lancha porque ouvi dizer que era muito rápida. Não contamos nada a Smith, mas pagamos bem, e ele ganharia uma bela recompensa se alcançássemos nossa embarcação, a *Esmeralda*, em Gravesend, de partida para o Brasil.

– Bem, se ele não fez nada de errado, vamos cuidar para que nada de errado lhe acometa. Se somos muito rápidos em pegar nossos homens, não somos tão afoitos assim em condená-los.

Era intrigante notar como o vaidoso Jones já estava começando a assumir crédito pela habilidade da captura. No tênue sorriso que brincava no rosto de Sherlock Holmes, eu via que o discurso não tinha passado despercebido por ele.

– Vamos chegar a Vauxhall Bridge a qualquer momento – disse Jones –, e vamos desembarcá-lo, dr. Watson, com a caixa do tesouro. Não preciso lhe dizer que estou assumindo uma responsabilidade muito séria por fazer isso. Foge muito do procedimento; mas, claro, um acordo é um acordo. Necessito, entretanto, por questão do dever, enviar um inspetor com o senhor, já que estará transportando uma carga tão valiosa. Irá de carro, sem dúvida?

– Sim, irei de carro.

– É uma pena que não haja chave, para podermos fazer um inventário primeiro. Terão de quebrar a arca para abri-la. Onde está a chave, homem?

– No fundo do rio – respondeu Small, brevemente.

– Hum! Não havia necessidade de nos dar esse transtorno desnecessário. Já tivemos trabalho suficiente por sua causa. Aliás, doutor, não preciso alertá-lo para ser cuidadoso. Traga a caixa de volta consigo para o apartamento em Baker Street. Vai nos encontrar lá antes de irmos para a delegacia.

Fui deixado em Vauxhall com minha pesada caixa de ferro e um inspetor franco e afável como meu companheiro. Uma viagem de um quarto de hora em carro de aluguel nos levou à casa da sra. Cecil Forrester. A criada pareceu surpresa pela visita em hora tão avançada. A sra. Cecil Forrester estava fora naquela noite, explicou, e provavelmente demoraria. A srta. Morstan, entretanto, estava na sala de visitas, portanto, para a sala de visitas eu fui, caixa em mãos, deixando o solícito inspetor no cabriolé.

Ela estava sentada perto da janela aberta, vestida em algum tipo de tecido branco diáfano, com um pequeno toque de escarlate no pescoço e na cintura. Estava banhada pela luz suave de um abajur, reclinada na cadeira de vime, que brincava com seu rosto doce e grave, e projetava um brilho opaco e metálico cintilante nas ondas de seu cabelo luxuriante. O braço e a mão branca estavam soltos ao lado do corpo, sobre a cadeira, e toda a sua pose e figura falavam de uma completa melancolia. Ao som dos meus passos, ela se levantou num salto, porém, e um rubor vívido de surpresa e prazer coloriu suas faces pálidas.

– Ouvi o carro se aproximar – disparou ela. – Achei que a sra. Forrester tinha voltado muito cedo, mas nunca imaginei que pudesse ser o senhor. Que notícias me trouxe?

– Trouxe algo melhor do que notícias – emendei, colocando a caixa sobre a mesa e falando de um jeito animado e jovial, embora meu coração estivesse pesado no meu peito. – Eu lhe trouxe algo que vale todas as notícias do mundo. Eu lhe trouxe uma fortuna.

Ela olhou para a caixa de ferro.

– Então este é o tesouro? – indagou, com razoável indiferença.

– Sim, este é o grande tesouro de Agra. Metade dele é seu e metade é de Thaddeus Sholto. Cada um receberá algumas centenas de milhares de libras. Pense nisso! Uma anuidade de dez mil libras. Haverá poucas jovens damas mais ricas na Inglaterra. Não é glorioso?

Acho que devo ter exagerado meu entusiasmo e que ela detectou o vazio nas minhas felicitações, pois vi suas sobrancelhas se arquearem um pouco, e ela me olhou curiosamente.

– Se eu o tenho – disse ela –, devo ao senhor.

– Não, não – respondi –, não a mim, mas a meu amigo Sherlock Holmes. Com toda a vontade no mundo, eu nunca poderia ter seguido uma pista que chegou a desafiar até mesmo a genialidade analítica de Holmes. E do jeito que foi, quase fomos derrotados no último momento.

– Por favor, sente-se e me conte tudo a respeito disso, dr. Watson – ela pediu.

Narrei brevemente o que havia ocorrido desde que eu a vira pela última vez: o novo método de busca de Holmes, a descoberta da *Aurora*, a aparição de Athelney Jones, nossa expedição à noite, e a perseguição desvairada pelo Tâmisa. Ela ouviu ao meu recital de aventuras com lábios entreabertos e olhos brilhantes. Quando falei do dardo que não nos acertou por tão pouco, ela ficou tão pálida, que eu temi que estivesse prestes a desmaiar.

– Não é nada – minimizou, conforme eu me apressava para lhe servir um pouco de água. – Estou bem de novo. Para mim foi um choque ouvir que eu colocara meus amigos em perigos tão horríveis.

— Tudo já acabou — respondi. — Não foi nada. Não vou lhe contar mais detalhes sórdidos. Vamos nos voltar a algo mais luminoso. Aqui está o tesouro. O que poderia ser mais luminoso que isso? Recebi autorização para trazê-lo comigo, pensando que lhe interessaria ser a primeira a vê-lo.

— Isso me interessaria muito — ela respondeu.

Contudo, não havia ansiedade em sua voz. Ocorrera-lhe, sem dúvida, que poderia ser ingrato de sua parte ficar indiferente ao prêmio que havia nos custado tanto conquistar.

— Que caixa linda! — disse ela, debruçada sobre o objeto. — É trabalho indiano, eu suponho?

— É; é trabalho em metal de Benares.

— E tão pesado! — ela exclamou, tentando levantá-lo. Só a caixa já deve ser de algum valor. Onde está a chave?

— Small jogou-a no Tâmisa — respondi. — Vou pegar emprestado o atiçador da sra. Forrester.

Havia na frente um ferrolho largo, forjado na imagem do Buda sentado. Debaixo disso eu enfiei a ponta do atiçador e girei para fora como se fosse uma alavanca. O ferrolho abriu com um estalido alto. Com dedos trêmulos, eu levantei a tampa. Nós dois ficamos olhando, perplexos. A caixa estava vazia!

Não me admirava que fosse pesada. O trabalho em ferro tinha a espessura de um centímetro e meio por toda a volta. Era maciço, bem-feito e sólido, como uma arca construída para guardar coisas de grande valor, mas ninguém havia jogado uma migalha de metal ou joia do lado de dentro. Estava absoluta e completamente vazia.

— O tesouro está perdido — disse a srta. Morstan, calmamente.

Ao ouvir as palavras e compreender o que significavam, uma grande sombra pareceu passar pela minha alma. Eu não sabia como esse tesouro de Agra havia me sobrecarregado até agora, quando o peso fora, enfim, removido. Era egoísta, sem dúvida, desleal e errado, mas eu percebia que nada, exceto a barreira de ouro, havia mudado entre nós.

– Graças a Deus! – exclamei do fundo do coração.

Ela me olhou com um sorriso ansioso e questionador.

– Por que diz isso?

– Porque você está ao meu alcance novamente – confessei, pegando-lhe a mão. Ela não retirou. – Porque eu a amo, Mary, da forma mais verdadeira que um homem já amou uma mulher. Porque esse tesouro, essas riquezas, selavam meus lábios. Agora que se foram, posso lhe dizer o quanto a amo. Foi por isso que eu disse "Graças a Deus".

– Então eu também digo "Graças a Deus" – ela sussurrou quando eu a puxei para o meu lado. Fosse lá quem tivesse perdido um tesouro, eu soube, naquela noite, que eu havia ganhado outro.

Capítulo 12

• A ESTRANHA HISTÓRIA DE JONATHAN SMALL •

Um homem muito paciente era o inspetor que ficara no carro, pois demorei um longo tempo para voltar. Seu rosto se assumiu um ar confuso quando lhe mostrei a caixa vazia.

– E lá se vai a recompensa! – disse ele, melancólico. – Onde não há dinheiro, não há paga. Se o tesouro estivesse aí, o trabalho desta noite teria valido dez libras tanto para Sam Brown quanto para mim.

– O sr. Thaddeus Sholto é um homem rico – respondi. – Vai lhe providenciar recompensa, com tesouro ou sem tesouro.

O inspetor meneou a cabeça, entretanto, desesperançado.

– Foi um resultado ruim – ele repetiu –, e é o que o sr. Athelney Jones vai pensar.

Sua previsão se mostrou correta, pois o detetive pareceu bem perplexo quando cheguei a Baker Street e mostrei a caixa vazia. Também acabavam de retornar: Holmes, o prisioneiro e ele, pois tinham mudado os planos e se apresentado na delegacia no caminho. Meu companheiro estava acomodado na poltrona com a usual expressão letárgica; já Small estava sentado diante dele, estoico, com a perna-de-pau dobrada debaixo da perna boa. Quando exibi a caixa vazia, ele se recostou na cadeira e riu alto.

— Isso é coisa sua, Small — disse Athelney Jones, irritado.

— É, eu o coloquei onde nunca vão conseguir pegá-lo! — ele exclamou, exultante. — O tesouro é meu; e se não posso ficar com ele, vou fazer o que for preciso para garantir que ninguém mais fique. Afirmo que nenhum homem vivo tem direito, a não ser os três que estão na prisão das Ilhas Andamãs, e eu. Sei que agora não posso usufruir do tesouro, e sei que eles também não podem. Tudo o que fiz foi tanto por eles quanto por mim. O signo dos quatro sempre esteve conosco. Bem, sei que meus companheiros desejariam que eu fizesse exatamente o que fiz, e que jogasse o tesouro no Tâmisa em vez de deixá-lo cair nas mãos de amigos ou parentes de Sholto, ou de Morstan. Não foi para deixá-los ricos que fizemos aquilo com Achmet. Encontrarão o tesouro onde está a chave e o pequeno Tonga. Quando vi que sua lancha acabaria por nos alcançar, coloquei os espólios em um lugar seguro. Não há rúpias para os senhores nesta jornada.

— Está nos enganando, Small — questionou Athelney Jones, com severidade. — Se tivesse desejado jogar o tesouro no Tâmisa, teria sido mais fácil se fosse com caixa e tudo.

— Mais fácil para eu jogar e mais fácil para os senhores o recuperarem — respondeu ele, com um olhar de soslaio. — O homem que foi inteligente o bastante para me caçar, é inteligente o bastante para pegar uma caixa de ferro do fundo de um rio. Agora que tudo está espalhado por uns oito quilômetros, deve ser uma tarefa mais difícil, mas me doeu no coração fazê-lo. Fiquei quase louco quando os vi aparecerem perto de nós. Entretanto, não adianta nada sofrer. Já tive bons momentos na minha vida, e tive os maus, mas aprendi a não chorar pelo leite derramado.

– Esse é um assunto muito sério, Small – queixou-se o detetive. – Se tivesse ajudado a justiça, em vez de frustrá-la dessa forma, você teria uma chance melhor no julgamento.

– Justiça! – rosnou o ex-prisioneiro. – Uma bela justiça! De quem são esses espólios, senão nossos? Onde está a justiça, se devo abrir mão do tesouro em nome daqueles que nunca o mereceram? Vejam como fiz por merecer! Vinte longos anos naquele brejo infestado de febres, o dia todo trabalhando debaixo dos manguezais, a noite toda acorrentado em cabanas imundas para prisioneiros, mordido por mosquitos, torturado pela malária, intimidado por todos os malditos policiais de cara preta que amavam provocar um homem branco. Foi assim que eu mereci o tesouro de Agra; e agora vêm me falar de justiça porque não posso suportar o sentimento de ter pago todo esse preço apenas para que outro homem desfrute! Eu preferiria ser enforcado uma vintena de vezes, ou levar um dos dardos de Tonga no meu couro, a viver em uma cela de prisão e sentir que outro homem está despreocupado em um palácio com o dinheiro que deveria ser meu.

Small deixara cair a máscara do estoicismo, e tudo isso saiu num redemoinho de palavras, enquanto seus olhos fulguravam, e as algemas tilintavam uma na outra com os movimentos exaltados de suas mãos. Eu entendia, ao ver a fúria e a paixão do homem, que não era terror infundado ou fictício que havia possuído o major Sholto quando primeiro ficou sabendo que o prisioneiro prejudicado estava no seu encalço.

– Você esquece que não sabemos de nada disso – disse Holmes, em tom comedido. – Não ouvimos sua história, e não podemos afirmar o quanto a justiça estava originalmente do seu lado.

— Bem, o senhor tem sido muito cortês comigo, embora eu perceba que devo agradecê-lo pelo par de braceletes nos meus pulsos. Ainda assim, não guardo rancor. É tudo justo e às claras. Se quer ouvir minha história, não vou escondê-la. O que digo é a verdade de Deus, cada palavra. Obrigado; pode deixar esse copo aqui ao meu lado, que levarei os lábios a ele se tiver sede.

"Sou um homem de Worcestershire, nascido perto de Pershore. Atrevo-me a dizer que o senhor encontraria um bando de Smalls vivendo lá agora, se fosse procurar. Com frequência eu pensei em dar uma olhada, mas a verdade é que nunca tive muito crédito com a família, e duvido que eles ficariam tão felizes assim se me vissem. Todos eram pessoas estáveis que iam à capela, pequenos agricultores, bem conhecidos e respeitados no campo, enquanto eu era um tanto vadio. Por fim, entretanto, quando tinha cerca de dezoito anos, não lhes dei mais trabalho, já que me meti em uma confusão por causa de uma moça e só consegui me safar quando aceitei me alistar no exército e me juntar ao Terceiro Buffs[6], que estava de partida para a Índia."

"Porém, eu não estava destinado a ser soldado por muito tempo. Mal acabara de aprender a marchar e a manusear o mosquete, quando fui tolo o bastante para nadar no Ganges. Para minha sorte, o sargento da minha companhia, John Holder,

---

6 Os Buffs (*Royal East Kent Regiment*), o Terceiro Regimento de Infantaria: um importante e dos mais antigos regimentos do exército britânico. O apelido deriva de um casaco de couro macio que os soldados usaram em uma batalha nos Países Baixos, no século XVII, e que acabou virando sua marca registrada. (N.T.)

estava na água no mesmo instante, e era um dos nadadores mais habilidosos entre os militares. Um crocodilo me pegou quando eu estava na metade do caminho e arrancou minha perna com a destreza de um cirurgião, logo acima do joelho. Com o choque e com a perda de sangue, eu desmaiei e teria me afogado se Holder não tivesse me agarrado e me levado até a margem. Fiquei cinco meses no hospital por causa disso, e quando, por fim, consegui coxear com essa perna-de-pau amarrada ao meu coto, encontrei-me inválido para o exército e inadequado para qualquer ocupação ativa."

"Eu estava, como podem imaginar, com uma péssima sorte naquela época, pois era um aleijado inútil e nem chegara ao meu vigésimo aniversário. Entretanto, meu infortúnio logo se mostrou uma bênção disfarçada. Um homem de nome Abelwhite, que havia chegado lá como plantador de índigo, queria um supervisor para cuidar dos cules[7] e mantê-los trabalhando. Ele calhou de ser um amigo do nosso coronel, que havia ganhado interesse por mim desde o acidente. Para resumir a história, o coronel me recomendou fortemente ao emprego e como, na maior parte, o trabalho seria feito montado a cavalo, minha perna não era grande obstáculo, pois eu tinha perna suficiente para me manter firme na sela. O que eu tinha de fazer era cavalgar pela plantação, ficar de olho nos homens enquanto trabalhavam e denunciar os preguiçosos. O pagamento era justo, eu tinha moradia confortável e estava muito contente de passar o resto da minha vida numa plantação de índigo. O sr. Abelwhite era um homem bom e, com frequência, aparecia na minha choupana para fumar cachimbo comigo, pois os brancos

---

7 Denominação para trabalhadores braçais asiáticos. (N.T.)

de lá gostam de estar próximos uns dos outros, como nunca o fazem na terra natal."

"Bem, minha sorte nunca durava muito. De repente, sem advertência, o grande motim irrompeu sobre nós. Em um mês, a Índia estava tranquila e pacífica como Surrey ou Kent, em toda sua aparência; mas, no mês seguinte, havia duzentos mil demônios negros à solta, e o país se tornou um perfeito inferno. Claro, os senhores sabem tudo sobre isso, muito mais do que eu, provavelmente, já que não sou muito familiar com a leitura. Só sei o que vi com meus próprios olhos. Nossa plantação ficava em um lugar chamado Muttra, perto da fronteira com as Províncias do Noroeste. Noite após noite, todo o céu se iluminava com as chamas nos bangalôs e, dia após dia, tínhamos pequenas companhias de europeus passando por nossa propriedade com as esposas e os filhos, a caminho de Agra, onde ficavam as tropas mais próximas. O sr. Abelwhite era um homem obstinado e colocou na cabeça que o assunto estava sendo exagerado e que imploderia tão depressa como tinha brotado. Ali ele ficou, sentado na varanda, bebendo doses de uísque e fumando charutos, enquanto o país pegava fogo ao seu redor. Claro que ficamos com ele, eu e Dawson, que, com a esposa, costumava cuidar dos livros contábeis e da administração. Bem, um belo dia, tudo aconteceu. Eu tinha estado fora, numa plantação distante, e voltava para casa a cavalo no fim do dia, quando meu olho avistou algo amontoado no fundo de uma ravina íngreme. Desci para ver o que era, e o frio tomou meu coração quando descobri a esposa de Dawson toda retalhada e meio devorada por chacais e cães nativos. Um pouco mais adiante na estrada estava o próprio Dawson, de cara no chão, morto, com um revólver vazio na mão, e quatro cipaios[8] caídos um por cima dos outros na frente dele. Detive meu cavalo, na dúvida de qual caminho seguir; contudo, naquele momento, vi uma nuvem de fumaça subindo do bangalô de Abelwhite, e as chamas começaram a romper o telhado. Eu soube, então, que não poderia ajudar meu empregador, mas poderia jogar minha vida fora se me metesse no assunto. De onde estava, eu podia ver centenas de inimigos negros de casacos vermelhos, ainda de costas, dançando e gritando em volta da casa incendiada. Alguns deles apontaram para mim, e algumas balas passaram zunindo ao lado da minha cabeça; e assim eu fugi pelos arrozais e me encontrei, tarde da noite, seguro dentro dos muros de Agra."

"Como se provou, entretanto, também não havia grande segurança ali. Todo o país estava agitado como um enxame de abelhas. Onde quer que os ingleses conseguissem se reunir em pequenos bandos, só detinham o terreno que suas armas controlavam. Em todo os outros lugares, eram fugitivos indefesos. Era uma luta dos milhões contra as centenas; e a parte mais cruel foi que esses homens contra quem lutávamos, infantaria, montaria, artilharia, eram nossas próprias tropas – a quem tínhamos ensinado e treinado – manejando nossas armas e soprando nossas cornetas. Em Agra estava o Terceiro Regimento de Fuzileiros de Bengala, alguns *sikhs*, duas tropas montadas e uma bateria

---

8   Cipaios, sipaios ou sipais (proveniente do híndi: *shipahi*, "soldados"): soldados indianos que serviam no exército britânico durante o imperialismo na Índia. O motim a que se faz referência na passagem ficou conhecido como "Revolta dos Cipaios", de 1857, um levante armado popular que estourou no norte da Índia, contra a dominação do Império Britânico. (N.T.)

de artilharia. Uma tropa voluntária de empregados e mercadores havia sido formada, e a ela eu me juntei, com perna-de-pau e tudo. Saímos para encontrar os rebeldes em Shahgunge no início de julho e o seguramos por algum tempo, mas nosso poder cedeu e tivemos que voltar para a cidade. Nada além das piores notícias chegavam até nós de todos os lados; o que não era de admirar, pois se olharem no mapa verão que estávamos bem no coração daquilo tudo. Lucknow fica a uns cento e sessenta quilômetros para o leste, e Cawnpore, mais ou menos a mesma distância para o sul. Em todas as direções da bússola, não havia nada além de tortura e assassinato e ultraje."

"A cidade de Agra é um lugar muito grande, fervilhando de fanáticos e ferozes adoradores do diabo de todos os tipos. Nossos poucos homens estavam perdidos entre as ruas estreitas e sinuosas. Nosso líder cruzou o rio e, assim, assumiu posição no velho forte em Agra. Não sei se algum dos cavalheiros aqui já leu ou ouviu alguma coisa sobre aquele velho forte, mas é um lugar muito estranho, o mais estranho em que já estive, e olha que já passei por cantos bem peculiares. Antes de mais nada, era enorme em dimensões. Acho que a área murada deve ter hectares e hectares. Há uma parte moderna que acolheu toda a nossa guarnição, mulheres, crianças, provisões e todo o resto, com muito espaço de sobra. Mas a parte moderna não tem nada do tamanho das áreas antigas, aonde ninguém vai, e está entregue aos escorpiões e centopeias. É cheia de salões desertos, passagens sinuosas e longos corredores retorcidos, onde é fácil se perder. Por esse motivo, era raro que alguém entrasse ali, embora de vez em quando um grupo com tochas pudesse ir explorar."

"O rio banha a frente do antigo forte, e assim o protege, mas nas laterais e atrás há muitas entradas, e estas precisam ser guardadas, claro, tanto nos antigos salões como naqueles onde estavam as nossas tropas. Estávamos em desvantagem, nem de perto com homens suficientes para proteger os cantos do edifício e manejar as armas. Era impossível para nós, portanto, estacionar uma guarda forte em cada um dos inumeráveis portões. O que fizemos foi organizar uma casa de guarda central no meio do forte e deixar cada portão sob a responsabilidade de um branco e dois ou três nativos. Fui escolhido para montar guarda, durante certas horas da noite, em uma portinha isolada do lado sudoeste do prédio. Dois soldados *sikh* foram colocados sob meu comando, e eu fui instruído, se algo desse errado, a disparar o mosquete e confiar na ajuda que viria imediatamente da guarda central. Como o posto estava a mais de cento e cinquenta metros de distância, entretanto, e como o espaço entre um ponto e outro era entrecortado por um labirinto de passagens e corredores, eu tinha grandes dúvidas quanto a poderem chegar a tempo de ter qualquer utilidade no caso de um ataque propriamente dito."

"Bem, eu estava muito orgulhoso de ter esse pequeno comando sob a minha responsabilidade, já que eu era um recruta inexperiente e, ainda por cima, com perna-de-pau. Por duas noites mantive a vigia com os meus punjabis. Eram camaradas altos e de aparência feroz, de nomes Mahomet Singh e Abdullah Khan, ambos guerreiros de longa data que haviam pegado em armas conosco em Chilianwallah[9]. Eles sabiam falar inglês muito bem, mas consegui arrancar pouco deles, pois

---

9 A Batalha de Chilianwallah, de 13 de janeiro de 1849, aconteceu durante a Segunda Guerra Anglo-*Sikh*, no território do Punjab, hoje norte da Índia e do Paquistão. Esta batalha foi vencida pelos *sikhs*, mas a guerra terminou com a anexação do Império Sikh pelo Império Britânico. (N.T.)

preferiam ficar juntos e tagarelar a noite inteira naquele estranho dialeto *sikh*. Quanto a mim, eu costumava ficar do lado de fora, na entrada, olhando para o rio largo e sinuoso e para as luzes piscantes da grande cidade. A batida dos tambores, o tamborilar dos batuques e os gritos e os urros dos rebeldes, bêbados de ópio e bangue[10], eram suficientes para nos lembrar durante toda a noite de nossos vizinhos perigosos do outro lado das águas. A cada duas horas, o oficial da noite costumava passar por todos os postos para garantir que tudo estava bem."

"A terceira noite da minha vigia estava escura e suja, com uma chuva pequena, porém violenta. Era um trabalho tenebroso ficar no portão hora após hora num tempo daqueles. Tentei repetidas vezes fazer meus *sikhs* falarem, mas não obtive muito sucesso. Às duas da madrugada passou a ronda, o que quebrou, por um momento, o desgaste da noite. Após descobrir que nada faria meus companheiros conversarem, peguei meu cachimbo e coloquei o mosquete no chão para riscar o fósforo. Em um instante, os dois *sikhs* estavam em cima de mim. Um deles pegou minha espingarda de pederneira e a colocou na altura da minha cabeça, enquanto o outro segurou uma grande faca na minha garganta e jurou entre os dentes que a mergulharia em mim se eu desse um passo."

"Meu primeiro pensamento foi que aqueles sujeitos estavam do lado dos rebeldes, e que aquilo era o começo de um ataque. Se nossa entrada estivesse nas mãos dos cipaios, o forte iria cair, e as mulheres e crianças seriam tratadas como em Cawnpore. Talvez os cavalheiros aqui pensem que estou apenas

---

10 Bangue (*bhang*): um preparado à base de *cannabis*, histórica e culturalmente consumido na Índia com fins ritualísticos. (N.T.)

inventando uma justificativa para mim, mas dou-lhes minha palavra de que quando pensei na possibilidade, embora sentisse a ponta da faca na minha garganta, abri a boca com a intenção de gritar, como se fosse meu último grito, o que poderia servir de alarme para a guarda principal. O homem que me segurava parecia saber meus pensamentos, pois, enquanto eu me preparava para isso, ele sussurrou: 'Não faça barulho. O forte está bem seguro. Não há cães rebeldes deste lado do rio'. A verdade ressoava no que ele dizia, e eu sabia que se erguesse minha voz, eu seria um homem morto. Era possível ler essas informações nos olhos castanhos do sujeito. Eu esperei, portanto, em silêncio, para ver o que eles queriam de mim."

"'Escute, *sahib*', falou o mais alto e mais feroz entre os dois, o que eles chamavam de Abdullah Khan. 'Ou fique do nosso lado agora, ou será silenciado para sempre. A questão é importante demais para hesitarmos. Ou *sahib* está de coração e alma conosco, jurando sobre a cruz dos cristãos; ou seu corpo, esta noite, será jogado no dique e o passaremos para nossos irmãos no exército rebelde. Não existe meio-termo. Qual vai ser, morte ou vida? Só podemos lhe dar três minutos para decidir, pois o tempo está passando e tudo deve ser feito antes que a ronda passe novamente.'"

"'Como posso decidir?', perguntei. 'Não me falaram o que querem de mim. Mas eu lhes digo agora que se for qualquer coisa contra a segurança do forte, não terei parte nisso, portanto, fique à vontade para mergulhar a faca.'"

"'Não é nada contra o forte', explicou ele. 'Só lhe pedimos que faça aquilo que seus conterrâneos vieram fazer nesta terra. Pedimos que seja rico. Se se unir a nós esta noite, juramos sobre a faca nua e em nome do juramento tríplice que nenhum *sikh* jamais quebrou, que *sahib* terá sua parte justa no espólio. Um quarto do tesouro será seu. Nada pode ser mais justo.'"

"'Mas o que é o tesouro?', perguntei. 'Estou tão pronto para ser rico quanto vocês, basta me mostrarem como.'"

"'Então, *sahib*, jure', intimou ele, 'pelos ossos do seu pai, pela honra da sua mãe e pela cruz da sua fé, a não erguer a mão e não falar nenhuma palavra contra nós, nem agora e nem depois.'"

"'Eu juro', respondi, 'contanto que o forte não seja colocado em perigo.'"

"'Então meu companheiro e eu vamos jurar que *sahib* terá um quarto do tesouro que será igualmente dividido entre nós quatro.'"

"'Somos apenas três', disse eu."

"'Não; Dost Akbar terá uma parte. Podemos lhe contar a história enquanto esperamos por eles. Fique no portão, Mahomet Singh, e avise quando eles chegarem. A questão fica assim, *sahib*, e eu lhe digo isso porque sei que um *feringhee*[11] respeita um juramento, e que podemos confiar no *sahib*. Se fosse um hindu mentiroso, embora tivesse jurado por todos os deuses nos seus templos falsos, seu sangue estaria na faca e seu corpo estaria na água. Porém, o *sikh* conhece o inglês, e o inglês conhece o *sikh*. Ouça com atenção o que tenho a dizer.'"

"'Existe um rajá muito rico nas províncias do norte, embora suas terras sejam pequenas. Muito chegou até ele por meio do pai, e mais ainda ele conseguiu sozinho, pois sua natureza é mesquinha e ele guarda o ouro em vez de gastá-lo. Quando os problemas eclodiram, ele era amigo tanto do leão quanto do

---

11 Palavra usada para se referir aos europeus. (N.T.)

tigre – dos cipaios e do *raj* da Companhia[12]. Logo, entretanto, pareceu a ele que havia chegado a hora dos homens brancos, pois, por toda a terra, ele só conseguia ouvir sobre sua morte e derrubada. Ainda assim, como era um homem cauteloso, ele fez planos de que, acontecesse o que acontecesse, pelo menos metade de seu tesouro continuaria com ele. O que era de ouro e prata, ele manteve consigo nos cofres do palácio, no entanto as pedras mais preciosas e as pérolas de qualidade especial ele colocou numa caixa de ferro e enviou-a por meio de um criado de confiança que, sob o disfarce de mercador, deveria levá-la até o forte em Agra, para que a caixa lá ficasse até a terra recuperar a paz. Assim, se os rebeldes vencessem, ele teria seu dinheiro, mas se a Companhia tomasse o controle, suas joias ficariam a salvo para ele. Tendo, desta forma, dividido seu tesouro, ele se lançou na causa dos cipaios, já que eram fortes nos limites de seu território. Ao fazer isso, entenda, a propriedade do rajá se torna direito daqueles que se mantiveram fiéis à própria causa, *sahib*.'"

"'Esse mercador disfarçado, que viaja sob o nome de Achmet, agora está na cidade de Agra, e deseja entrar no forte. Ele traz consigo, como companheiro de viagem, meu irmão de criação, Dost Akbar, que conhece o segredo. Dost Akbar prometeu esta noite que o levaria a uma poterna lateral do forte,

---

12 *Raj*: "reinado" ou "governo" em híndi. Referência ao controle do subcontinente indiano pela Companhia Britânica das Índias Orientais, que recebera, para tanto, uma concessão do governo britânico. A partir de 1858, com o fim da Revolta dos Cipaios, a Companhia saiu de cena, e a coroa britânica passou a controlar diretamente a região (período da "Índia britânica"), até a independência de Índia e Paquistão, em 1947. (N.T.)

e escolheu esta para realizar seu propósito. Para cá ele virá agora, e aqui ele encontrará Mahomet Singh e eu, esperando por ele. O lugar está vazio, e ninguém vai saber que ele está vindo. O mundo não saberá mais do mercador Achmet, mas o grande tesouro do rajá será dividido entre nós. O que diz disso, *sahib*?'"

"Em Worcestershire, a vida de um homem parece algo grandioso e sagrado; mas é muito diferente quando existe fogo e sangue a toda nossa volta e estamos acostumados a nos defrontar com a morte em todo canto. Se Achmet, o mercador, vivesse ou morresse, para mim era irrelevante, porém, ao ouvir a conversa sobre o tesouro, meu coração se voltou para ele, e eu pensei no que poderia fazer na minha terra com a fortuna, e como meus familiares veriam seu 'joão-ninguém' voltando com os bolsos cheios de ouro. Eu já tinha, portanto, tomado minha decisão. Abdullah Khan, contudo, pensando que eu hesitava, pressionou mais:

"'Considere, *sahib*', explanou ele, 'que se esse homem for pego pelo comandante, vai ser enforcado ou morto a tiros, e suas joias serão levadas pelo governo, para que homem nenhum fique uma rúpia mais rico. Agora, se o capturarmos, por que não fazemos também o resto? As joias ficarão tão bem conosco como ficariam nos cofres da Companhia. Existe o suficiente para fazer de cada um de nós um homem rico e um grande líder. Ninguém saberá disso, pois aqui estamos separados de todos os homens. O que poderia ser melhor para o nosso propósito? Diga, então, *sahib*, se está conosco ou se devemos encará-lo como inimigo.'"

"'Estou com vocês de coração e alma', respondi."

"'Muito bem', disse ele, ao me devolver a espingarda de pederneira. 'Entenda que confiamos no *sahib*, pois sua palavra, assim como a nossa, não pode ser quebrada. Agora só temos que esperar pelo meu irmão e pelo mercador.'"

"'Então o seu irmão sabe o que vocês vão fazer?', perguntei."

"'O plano é dele. Ele o criou. Vamos até o portão para dividir a vigília com Mahomet Singh.'"

"A chuva ainda não diminuíra de volume, pois era apenas o começo da estação úmida. Nuvens marrons e pesadas estavam vagando pelo céu, e era difícil enxergar muito à frente. Um grande fosso se estendia diante da nossa entrada, mas em alguns locais a água tinha quase secado e poderia ser cruzada facilmente. Eu achava estranho ficar ali com aqueles dois punjabis selvagens esperando pelo homem que encontraria sua morte."

"De repente, meu olho captou o brilho de uma lanterna coberta do outro lado do fosso. Desapareceu entre as colinas e depois reapareceu, vindo em nossa direção lentamente."

"'Aí vêm eles!', exclamei."

"'Aborde-o, *sahib*, como de costume', sussurrou Abdullah. 'Não lhe dê motivo para temer. Peça-nos para acompanhá-lo quando ele entrar, e nós faremos o resto enquanto *sahib* fica aqui de guarda. Esteja pronto para descobrir a lanterna, para termos certeza de que é mesmo o homem.'"

"A luz continuava se aproximando, ora parando, ora avançando, até que vi duas figuras escuras do outro lado do fosso. Deixei-os descer o barranco com dificuldade, chapinhar no lamaçal e depois subir até meio caminho do portão, antes de abordá-los."

"'Quem vem lá?', indaguei, numa voz monótona."

"'Amigos', foi a resposta. Descobri minha lanterna e joguei um facho de luz sobre eles. O primeiro era um *sikh* enorme, com uma longa barba negra que quase alcançava o cinturão. Fora de algum espetáculo, eu nunca vira um homem tão alto. O outro era um sujeito baixo, gordo e roliço, com um grande turbante amarelo e um volume nas mãos, envolto em um xale. Parecia tremer todo de medo, pois suas mãos sacudiam como se ele tivesse malária, e ficava virando a cabeça para a esquerda e para a direita com dois olhinhos brilhantes, como um rato quando se aventura fora da toca. O pensamento de matar o homem me dava arrepios, mas eu pensei no tesouro, e meu coração se endureceu como pedra no peito. Quando ele viu meu rosto branco, deu um chilreio de alegria e veio correndo até mim."

"'Sua proteção, *sahib*', ele disse, ofegante, 'sua proteção para o infeliz mercador Achmet. Cruzei todo o Rajpootana em busca de abrigo no forte de Agra. Fui roubado, espancado e agredido porque sou amigo da Companhia. Abençoada é esta noite, quando reencontro a segurança... Eu e meus modestos bens.'"

"'O que tem aí nesse embrulho?', perguntei."

"'Uma caixa de ferro', respondeu ele, 'que contém um ou dois objetos de família sem valor para os outros, mas que eu lamentaria perder. Porém, não sou um pedinte; e vou lhe recompensar, jovem *sahib*, e a seu governador também, se ele me der o abrigo que eu busco.'"

"Eu não conseguia confiar em mim mesmo para continuar falando com o homem. Quanto mais eu olhava para seu rosto gordo e assustado, com mais firmeza parecia que deveríamos assassiná-lo a sangue-frio. Era melhor terminar logo com aquilo."

"'Levem-no para a guarda principal', ordenei. Os dois *sikhs* o cercaram, um de cada lado, e o gigante foi caminhando atrás. Seguiram em marcha para dentro do portão escuro. Nunca um homem esteve tão rodeado pela morte. Continuei no portão com a lanterna."

"Eu ouvia o ruído comedido de seus passos ressoando pelos corredores solitários. De súbito eles pararam, e eu ouvi vozes e uma briga, seguidos pelo som de pancadas. Um momento depois ouvi, para meu terror, um tropel de passos vindo em minha direção, com a respiração alta de um homem correndo. Virei a lanterna por uma passagem longa e reta, e ali estava o homem gordo, correndo como o vento, com uma mancha de sangue sobre o rosto; nos seus calcanhares, próximo como um tigre, o grande *sikh* de barba negra, com a faca reluzindo em sua mão. Nunca vi um homem correr tão depressa como aquele pequeno mercador. Estava ganhando do *sikh*, e eu percebia que se conseguisse passar por mim e chegar ao ar livre, ainda conseguiria se salvar. Meu coração amoleceu por ele, mas novamente o pensamento de seu tesouro me tornou duro e amargo. Lancei minha espingarda entre suas pernas, quando ele se aproximava, e ele rolou duas vezes como um coelho abatido. Antes que conseguisse se colocar em pé, o *sikh* estava em cima e lhe enterrou a faca duas vezes no flanco. O homem nunca proferiu um gemido nem moveu um músculo, mas ficou ali onde tinha caído. Acho que pode ter quebrado o pescoço na queda. Vejam, cavalheiros, que estou mantendo minha promessa. Estou contando todos os detalhes do caso exatamente como aconteceu, quer seja a meu favor ou não."

Ele parou e estendeu as mãos agrilhoadas para o uísque e a água que Holmes tinha lhe servido. Quanto a mim, confesso que agora eu concebia o horror extremo do homem, não apenas pelo plano a sangue-frio no qual ele havia sido implicado, mas ainda mais pela forma um tanto leviana e despreocupada com que a narrava. A despeito de qualquer punição que o aguardaria, senti que ele não devia esperar compaixão da minha parte. Sherlock Holmes e Jones permaneceram sentados com as mãos sobre os joelhos, profundamente interessados na história, mas com a mesma repulsa escrita sobre o rosto. Small deve ter notado, pois havia um toque de provocação em sua voz e em seus modos, quando prosseguiu.

— Foi tudo muito ruim, sem dúvida — frisou ele. — Eu gostaria de saber quantos camaradas no meu lugar teriam recusado uma fatia daquele espólio mesmo sabendo que teriam a garganta cortada pelo inconveniente. Além do mais, depois que ele entrou no forte, era minha vida ou a dele. Se ele saísse, toda a questão viria às claras, eu seria levado à corte marcial e, muito provavelmente, seria fuzilado; pois as pessoas não eram muito lenientes em uma época como aquela.

— Prossiga com a história — pediu Holmes, em poucas palavras.

— Bem, nós o carregamos para dentro, Abdullah, Akbar e eu. Era bem pesado, aliás, mesmo tão baixo. Mahomet Singh foi deixado para guardar a porta. Nós o levamos a um lugar já preparado pelos *sikhs*. Ficava a alguma distância dali, onde um corredor sinuoso levava a um grande salão vazio, cujas paredes de tijolos estavam desabando. O chão de terra havia afundado em um ponto, criando uma cova natural, por isso, deixamos ali Achmet, o mercador, coberto com uma camada de tijolos soltos. Isso feito, todos voltamos para o tesouro.

"Estava onde ele o havia deixado cair quando foi atacado pela primeira vez. A caixa era a mesma que agora está sobre sua mesa. Havia uma chave atada à alça no topo da caixa por um cordão de seda. Nós a abrimos, e a luz da lanterna iluminou uma coleção de pedras preciosas tais como aquelas sobre as quais eu lia quando era um rapazinho em Pershore. Observá-las era ofuscante. Quando nossos olhos terminaram o banquete, tiramos tudo o que havia dentro da caixa e fizemos uma lista. Havia cento e quarenta e três diamantes de primeira água, incluindo um que era chamado, creio eu, 'O Grão-Mogol', e dizem que é a segunda maior pedra existente. Depois havia noventa e sete belas esmeraldas e cento e setenta rubis, alguns dos quais, entretanto, eram pequenos. Havia quarenta carbúnculos, duzentas e dez safiras, sessenta e uma ágatas e uma grande quantidade de berilos, ônix, olhos de gato, turquesas e outras pedras cujos nomes variados eu não sabia na época, embora tenha me familiarizado mais desde então. Além disso, havia quase trezentas ótimas pérolas, doze das quais estavam engastadas em um diadema de ouro. Aliás, estas últimas haviam sido tiradas da arca e não estavam lá quando eu a recuperei."

"Depois de termos contado nossos tesouros, nós os pusemos de volta na arca e a carregamos até o portão para mostrá-la a Mahomet Singh. Depois renovamos solenemente nosso juramento de nos mantermos leais uns aos outros e de mantermos nosso segredo. Concordamos em esconder nosso espólio em um lugar seguro até que o país recuperasse a paz, e depois o dividiríamos igualmente entre nós. Não fazia sentido dividi-lo naquele momento, pois se gemas de tamanho valor fossem encontradas conosco, levantaríamos suspeitas; não havia privacidade no forte, nem em nenhum outro lugar onde pudéssemos guardá-las. Carregamos a caixa, portanto, para o mesmo salão onde havíamos enterrado o corpo e, ali, debaixo de certos tijolos na parede mais bem conservada, fizemos um buraco e colocamos o tesouro. Tomamos nota cuidadosamente do lugar e, no dia seguinte, eu desenhei quatro mapas, um para cada um de nós, e coloquei o signo de nós quatro no pé da página, pois havíamos jurado que sempre agiríamos em nome de todos, para que nenhum pudesse tirar vantagem. Posso colocar minha mão no peito e afirmar que esse juramento eu nunca quebrei."

"Bem, não há sentido em contar aos cavalheiros que fim teve o motim indiano. Depois que Wilson tomou Délhi e *sir* Coling libertou Lucknow, a espinha dorsal de tudo aquilo estava quebrada. Novas tropas chegaram aos montes, e Nana Sahib desapareceu na fronteira. Uma coluna ligeira sob o comando do coronel Greathed chegou em Agra e expulsou os nativos. A paz parecia estar se assentando no país, e nós quatro estávamos começando a ter esperanças de que o momento era oportuno e que deveríamos sair com nossas fatias da pilhagem. Em um instante, porém, nossas esperanças se estilhaçaram, pois fomos presos pelo assassinato de Achmet."

"Foi assim que aconteceu. Quando o rajá colocou suas joias nas mãos de Achmet, ele o fez porque era um homem de confiança. Entretanto, o povo oriental é muito desconfiado – o que esse rajá faz senão colocar um segundo criado, no qual ele confia ainda mais, para agir como espião do primeiro? Esse segundo homem recebeu ordens de nunca deixar Achmet sair de suas vistas, e assim o seguiu como sua sombra. Foi atrás dele naquela noite e o viu entrar no forte. Claro, ele achou que o homem havia se abrigado dentro do forte, e pediu para entrar lá também no segundo dia, mas não encontrou nem sinal de

Achmet. Isso lhe pareceu tão estranho, que ele conversou a respeito com um sargento de Guias, que levou o fato até os ouvidos do comandante. Uma busca minuciosa não demorou a ser feita, e o corpo foi descoberto. Portanto, quando pensamos que tudo estaria seguro, nós quatro fomos presos e levados a julgamento sob a acusação de assassinato; três de nós porque estávamos de guarda no portão naquela noite, e o quarto porque se sabia que ele acompanhara o homem assassinado. Nem uma palavra sobre as joias foi mencionada no julgamento, pois o rajá havia sido deposto e exilado da Índia, de forma que ninguém tinha particular interesse nelas. O assassinato, entretanto, era claro, e era certo que nós todos estávamos envolvidos. Os três *sikhs* foram condenados ao trabalho forçado perpétuo, e eu fui condenado à morte, embora minha sentença tenha sido posteriormente comutada na mesma dos outros."

"Acabamos nos encontrando em uma situação bem esquisita. Estávamos os quatro amarrados pela perna e com poucas chances preciosas de sair dali novamente, ao mesmo tempo em que éramos donos de um segredo que teria nos colocado todos em um palácio, se ao menos pudéssemos fazer uso dele. Era o suficiente para enervar um homem ter que aguentar os pontapés e os sopapos de todos os oficiais petulantes de meia-pataca, além de receber arroz para comer e água para beber, quando aquela fortuna esplêndida estava pronta do lado de fora, apenas esperando para ser recuperada. Poderia ter me deixado louco; mas eu sempre fui muito teimoso, então apenas suportava e esperava pacientemente."

"Por fim pareceu que minha hora chegara. Fui transferido de Agra para Madras e de lá para Blair Island nas Andamãs. Havia poucos prisioneiros brancos nesse lugar e, como eu tive bom comportamento desde o início, logo me vi com certos privilégios. Recebi uma choupana em Hope Town, que era um lugar pequeno nas encostas do Mount Harriet, e fui deixado basicamente em paz. Aquele é um lugar tenebroso, repleto de febres, e tudo além das nossas pequenas clareiras estava infestado de canibais selvagens, prontos para soprar um dardo envenenado se enxergassem uma chance. Havia escavação para fazer e poços para abrir e inhame para plantar e uma dezena de outras coisas para concluir, por isso ficávamos bem ocupados durante todo o dia; porém, à noite, tínhamos um pouco de tempo para nós mesmos. Entre outras coisas, aprendi a aviar medicamentos para o cirurgião, e aprendi um pouquinho de seu conhecimento. A todo momento eu procurava uma chance de fugir; mas as ilhas ficam a centenas de quilômetros de qualquer outra terra, e há pouco vento ou não há vento nenhum naqueles mares, o que tornava a fuga uma tarefa difícil."

"O cirurgião, o dr. Somerton, era um jovem camarada ligeiro, esportivo, e os outros oficiais jovens se encontravam nos aposentos dele em algumas noites para jogar cartas. A sala de cirurgia, onde eu costumava preparar meus medicamentos, ficava ao lado da sala de estar do rapaz, e uma pequena janela nos separava. Com frequência, se me sentisse solitário, apagava a luz na sala de cirurgia e, em pé ali, ouvia a conversa e observava o jogo. Posso dizer que sou afeito ao carteado, e assistir aos outros era quase o mesmo que jogar. Ali estavam o major Sholto, o capitão Morstan e o tenente Bromley Brown, comandante das tropas nativas, e ali estava o próprio cirurgião, e dois ou três dos funcionários da prisão, velhas mãos habilidosas que jogavam um bom jogo matreiro e seguro. Um grupo bem agradável eles formavam."

"Bem, houve algo que logo me ocorreu: os soldados costumavam sempre perder e os civis, ganhar. Entendam, não estou dizendo que havia nada injusto, porém era assim que acontecia. Aqueles sujeitos da prisão tinham feito pouco mais do que jogar cartas desde que haviam chegado às Ilhas Andamãs, e conheciam o jogo um do outro como ninguém, enquanto o restante dos homens só jogava para passar o tempo e baixava as cartas de qualquer jeito. Noite após noite, os soldados ficavam mais pobres e, quanto mais pobres ficavam, mais queriam jogar. O major Sholto foi o que mais sofreu. Primeiro ele pagava com notas e ouro, mas logo passou às notas promissórias e às grandes somas. Às vezes, ele ganhava algumas rodadas, só para lhe dar ânimo, e depois a sorte se virava contra ele com mais força do que nunca. Durante todo o dia ele perambulava por nós com o semblante negro como trovão, e passou a beber muito mais do que lhe seria conveniente."

"Uma noite, ele perdeu mais que de costume. Eu estava sentado na minha choupana quando ele e o capitão Morstan vieram caminhando e trocando as pernas a caminho do alojamento. Eram amigos próximos, aqueles dois, e nunca estavam muito longe um do outro. O major estava furioso por causa de suas perdas."

"'Acabou tudo, Morstan', ele estava dizendo, enquanto passavam pela minha choupana. 'Vou ter que me reformar. Estou arruinado.'"

"'Bobagem, meu velho!', minimizou o outro, com um tapa no ombro. 'Eu já passei por momentos piores, mas...' Foi tudo o que eu consegui ouvir, porém era suficiente para me fazer pensar."

"Alguns dias depois, o major Sholto estava caminhando na praia, por isso aproveitei a chance de lhe falar."

"'Gostaria de pedir um conselho, major', o abordei."

"'Bem, Small, e qual é?', ele perguntou, ao tirar o charuto dos lábios."

"'Eu queria lhe perguntar, senhor, para quem se deve entregar um tesouro. Sei onde está meio milhão, e, como não posso usá-lo, pensei que talvez o melhor que eu poderia fazer seria entregar às autoridades apropriadas, e depois, talvez, os oficiais pudessem diminuir minha sentença.'"

"'Meio milhão, Small?' Ele inspirou o ar com força, olhando-me fixamente para ver se eu estava falando a verdade."

"'Isso mesmo, senhor... em joias e pérolas. Está em um lugar, pronto para qualquer um. E o estranho é que o verdadeiro dono foi proscrito e não pode ter bens, portanto, pertence ao que primeiro chegar.'"

"'Ao governo, Small', ele gaguejou, '...ao governo.' Mas disse isso de um jeito indeciso, e eu soube no meu coração que o tinha pegado."

"'O senhor acha, então, que eu deveria dar a informação ao governador-geral?', disse eu, em voz calma."

"'Ora, ora, você não deve fazer nenhuma tolice, ou poderá se arrepender. Deixe-me ouvir a história, Small. Conte-me os fatos.'"

"Eu lhe contei toda a história, com pequenas mudanças para que não pudesse identificar os lugares. Quando terminei, ele ainda estava imóvel pelo choque e cheio de pensamento. Eu via pelo tremer de seu lábio que havia uma luta acontecendo dentro dele."

"'Esse assunto é muito importante, Small', ele resumiu, por fim. 'Você não deve dizer uma palavra a ninguém, e eu voltarei a vê-lo em breve.'"

"Duas noites depois, ele e seu amigo, o capitão Morstan, vieram à minha choupana na calada da noite com uma lanterna."

"'Quero que o capitão Morstan ouça a história dos seus lábios, Small', incitou ele."

"Repeti tudo o que eu dissera antes."

"'Faz sentido, não faz?', concluiu ele. 'É bom o bastante para agirmos?'"

"O capitão Morstan assentiu."

"'Olhe aqui, Small', disse o major. 'Temos discutido sobre isso, meu amigo aqui e eu, e chegamos à conclusão de que esse seu segredo não é assunto de governo, afinal de contas, mas uma questão pessoal sua e, claro, é prerrogativa sua dar a ela o fim que achar melhor. Agora, a questão é: que preço você pediria por isso? Podemos estar inclinados a pagá-lo, e pelo menos procurá-lo, se concordarmos nos termos.' Ele tentou falar de forma despreocupada e indiferente, mas seus olhos brilhavam com ansiedade e cobiça."

"'Ora, quanto a isso, cavalheiros', respondi, tentando também parecer indiferente, mas me sentindo tão ansioso quanto ele, 'só existe uma barganha que um homem na minha posição pode fazer. Gostaria que me ajudassem a conseguir a minha liberdade e a dos meus três companheiros. Vamos colocar os senhores na parceria e daremos um quinto do tesouro para dividirem.'"

"'Hum!', desdenhou. 'Um quinto! Não é muito tentador.'"

"'Seria cinquenta mil para cada', ponderei."

"'Mas como podemos obter sua liberdade? Sabe muito bem que está pedindo algo impossível.'"

"'Nada do tipo', retruquei. 'Já pensei em todos os detalhes. O único impedimento para nossa fuga é não conseguirmos nenhum barco adequado para a viagem e provisões que durem por tanto tempo. Há muitos pequenos iates e ioles em Calcutá ou em Madras que nos serviriam bem. Traga um para cá. Podemos nos preparar para partirmos e zarpar durante a noite, e se nos deixarem em qualquer ponto da costa indiana, terão cumprido sua parte do acordo.'"

"'Se fosse um homem só', cogitou ele."

"'Nenhum ou todos', respondi. 'Fizemos um juramento. Nós quatro devemos sempre agir em conjunto.'"

"'Veja, Morstan', disse ele, 'Small é um homem de palavra e não foge de um amigo. Acho que podemos muito bem confiar nele.'"

"'É um negócio sujo', o outro respondeu. 'Ainda assim, como você diz, o dinheiro salvaria belamente nossos cargos.'"

"'Bem, Small', iniciou o major, 'devemos, eu imagino, tentar o acordo. Primeiro, é claro, vamos testar a veracidade da sua história. Diga-me onde a caixa está escondida e eu pegarei licença de afastamento para voltar à Índia no barco mensal de substituição, a fim de investigar o caso.'"

"'Não tão depressa', avisei, ficando mais frio à medida que ele se acalorava. 'Devo obter o consentimento dos meus três companheiros. Estou dizendo que são quatro ou nenhum de nós.'"

"'Bobagem!', ele interveio. 'O que três sujeitos negros têm a ver com nosso acordo?'"

"'Negros ou azuis', disse eu, 'eles estão comigo, e nós todos vamos juntos.'"

"Bem, a discussão terminou em um segundo encontro, no qual Mahomet Singh, Abdullah Kahn e Dost Akbar estavam todos presentes. Repassamos todo o caso, e, por fim, chegamos a um acordo. Entregaríamos aos dois militares mapas da parte do forte de Agra e marcaríamos o lugar na parede onde o tesouro estava escondido. O major Sholto iria à Índia para testar nossa história. Se ele encontrasse a caixa, deveria deixá-la lá, enviar um pequeno iate com provisões para uma viagem, que deveria ficar nos arredores de Rutland Island, para onde deveríamos ir, e então voltar aos seus deveres. O capitão Morstan, em seguida, deveria requerer licença de afastamento e nos encontrar em Agra, e lá faríamos o reparte final do tesouro; ele levaria a porção do major e a sua. Tudo isso nós selamos com o mais solene dos juramentos que a mente poderia pensar e os lábios poderiam proferir. Fiquei sentado a noite inteira com papel e tinta, e pela manhã, tinha os dois mapas prontos, assinados com o signo dos quatro, isto é, de Abdullah, Akbar, Mahomet e meu."

"Bem, cavalheiros, estou cansando os senhores com minha história longa, e eu sei que meu amigo, o sr. Jones, está impaciente para me levar em segurança e me trancafiar. Vou resumir o máximo que puder. O vilão Sholto partiu para a Índia, porém nunca mais voltou. O capitão Morstan me mostrou seu nome entre a lista de passageiros em um dos barcos-postais, pouco tempo depois. Seu tio falecera e lhe deixara uma fortuna, e ele abandonou o exército. Mesmo assim, ele se rebaixou a tratar cinco homens como nos tratou. Morstan foi para Agra logo em seguida, e descobriu, como esperado, que o tesouro havia, de fato, desaparecido. O canalha havia roubado tudo, sem manter nenhuma das condições pelas quais lhe vendêramos o segredo.

Daquele dia em diante, vivi apenas para a vingança. Pensei nisso dia após dia e alimentava o desejo à noite. Tornou-se uma paixão avassaladora que me consumia. Eu não ligava a mínima para a lei, a mínima para o cadafalso. Escapar, encontrar Sholto, colocar minha mão em seu pescoço – esses eram meus únicos pensamentos. Até mesmo o tesouro de Agra se tornou algo de menor importância na minha mente, em comparação a ceifar a vida de Sholto."

"Bem, já voltei meus esforços para muitas coisas nesta vida, e não houve uma que eu não levasse a cabo. Mas longos anos se passaram até que chegasse minha hora. Eu lhes disse que aprendi um pouco sobre os medicamentos. Um dia, quando o dr. Somerton estava de cama com febre, um pequeno nativo andamanês foi recolhido da floresta por um bando de prisioneiros. Estava doente e à beira da morte, e tinha ido a um lugar solitário para morrer. Passei a cuidar dele, embora fosse venenoso como uma serpente jovem, e depois de alguns meses, eu o deixei recuperado e capaz de andar. Ele pegou um certo afeto por mim depois disso e nada o fazia voltar para a floresta; ele estava sempre rondando a minha choupana. Aprendi um pouco de seu dialeto com ele, o que o deixou ainda mais afeiçoado a mim."

"Tonga, pois esse era seu nome, era um ótimo barqueiro, e tinha uma grande canoa espaçosa. Quando descobri que ele era devotado a mim e que faria tudo para me servir, enxerguei minha chance de fuga. Contei-lhe a respeito. Tonga deveria trazer seu barco, numa certa noite, para um antigo cais que nunca era guardado, e ali ele deveria me pegar. Dei-lhe instruções para providenciar várias cabaças de água e muito inhame, cocos e batatas-doces."

"Ele era leal e verdadeiro, aquele pequeno Tonga. Nenhum homem jamais teve um companheiro mais fiel. Na noite combinada, ele estava com o barco no cais. Como se por acaso, no entanto, havia ali um dos guardas de prisioneiros; um vil *pathan*[13] que nunca perdeu uma chance de me insultar e me prejudicar. Eu sempre jurei vingança e agora tinha minha chance. Era como se o destino lhe tivesse colocado no meu caminho para que eu pudesse quitar minha dívida antes de sair da ilha. Ele estava na margem, de costas para mim, com a carabina no ombro. Procurei em volta por uma pedra para espancá-lo até arrancar o cérebro, mas não encontrei nenhuma."

"Então um estranho pensamento passou pela minha cabeça e me mostrou onde eu poderia conseguir uma arma. Sentei-me na escuridão e desamarrei a perna-de-pau. Com três longos pulos, eu estava sobre ele. O guarda colocou a carabina no ombro, mas eu o atingi em cheio e afundei toda a parte da frente do seu crânio. Dá para ver aqui a lasca faltando na madeira, onde eu o atingi. Nós dois caímos juntos, pois eu não consegui manter o equilíbrio, mas quando me levantei, encontrei-o ainda bem imóvel. Segui para o barco e, dentro de uma hora, estávamos em mar aberto. Tonga trouxera suas posses terrenas consigo, as armas e seus deuses. Entre outras coisas, ele tinha uma lança comprida de bambu e uma esteira andamanesa de coco, que eu transformei numa espécie de vela. Por dez dias, jogamos de um lado para o outro no mar, confiando na sorte, e no décimo primeiro dia, fomos resgatados por um comerciante que ia de Cingapura a Jiddah, com uma carga de peregrinos malaios. Eram um grupo peculiar, e Tonga e eu logo

---

13 Termo em híndi para o povo de etnia afegã. (N.T.)

conseguimos nos misturar. Eles tinham uma qualidade muito boa: deixavam-nos em paz e não faziam perguntas."

"Bem, se eu fosse lhes contar todas as aventuras que meu pequeno amigo e eu passamos, os senhores não me agradeceriam, pois eu continuaria aqui até que o Sol estivesse brilhando. De um lado para o outro, vagamos pelo mundo, mas algo sempre aparecia para nos impedir de chegar a Londres. Durante todo o tempo, no entanto, nunca perdi de vista o meu propósito. Sonhava com Sholto à noite. Cem vezes eu o matei em meu sono. Finalmente, entretanto, cerca de três ou quatro anos atrás, nós nos encontramos na Inglaterra. Não tive grande dificuldade em saber onde Sholto vivia, e comecei a trabalhar para descobrir se ele gastara o tesouro, ou se ainda o tinha. Fiz amizade com alguém que poderia me ajudar – mas não vou dar nomes, pois não quero arrastar mais ninguém para o buraco –, e logo descobri que ele ainda estava com as joias. Tentei chegar a ele de várias maneiras; mas Sholto era muito astuto e tinha dois pugilistas, além dos filhos e de seu *khitmutgar*[14], todos sempre de guarda."

"Um dia, porém, eu soube que ele estava morrendo. Corri imediatamente para o jardim, furioso que ele pudesse escapar das minhas garras daquele jeito, e, olhando pela janela, vi-o deitado na cama, com os filhos, um de cada lado. Eu poderia ter entrado e arriscado com os três, só que, quando olhei para ele, seu queixo caiu, e eu soube que ele tinha partido. Entrei em seu quarto naquela mesma noite e vasculhei seus documentos para ver se encontrava qualquer registro de que ele tivesse escondido as nossas joias. Mas não havia nem uma linha sequer: por isso

---

14   Criado indiano que serve à mesa. (N.T.)

eu saí, amargo e tão enraivecido como um homem consegue ser. Antes de sair, refleti que, se algum dia eu voltasse a encontrar meus amigos *sikhs*, seria uma satisfação saber que eu deixara alguma marca do nosso ódio: então rabisquei o signo de nós quatro, como estava nos mapas, e prendi ao seu peito. Era demais que ele devesse ser levado à sepultura sem alguma lembrança dos homens de quem ele havia roubado e enganado."

"Ganhamos nosso sustento naquele momento exibindo o pobre Tonga em feiras e em outros lugares assim como o canibal negro. Ele comia carne crua e fazia sua dança de guerra: por isso sempre tínhamos um chapéu cheio de moedas após um dia de trabalho. Eu ainda ouvia todas as notícias de Pondicherry Lodge, e durante alguns anos não houve notícia nenhuma para ser ouvida, apenas que estavam caçando o tesouro. Certo dia, no entanto, aconteceu o que tínhamos esperado por tanto tempo. O tesouro fora encontrado. Estava na parte de cima da casa, no laboratório químico do sr. Bartholomew Sholto. Fui até lá na mesma hora e dei uma olhada no local, mas não consegui ver de que forma, com minha perna-de-pau, eu poderia subir até lá. Descobri, entretanto, sobre um alçapão no teto, e também sobre os horários do jantar do sr. Sholto. Pareceu-me que eu conseguiria facilmente com a ajuda de Tonga. Eu o levei comigo com uma corda longa enrolada em sua cintura. Ele conseguia escalar como um gato, e logo chegou ao telhado; mas quis a má sorte que Bartholomew Sholto ainda estivesse no quarto, o que foi seu fim. Tonga achou que tinha feito algo muito inteligente em matá-lo, porque, quando subi pela corda, encontrei-o todo empertigado, orgulhoso como um pavão. Muito surpreso ficou quando bati nele com a ponta da corda e o amaldiçoei como a um diabrete sedento de sangue. Peguei a caixa do tesouro e deslizei janela abaixo, depois de deixar o signo dos quatro sobre a mesa, para mostrar que as joias tinham voltado finalmente para aqueles que mais tinham direito sobre elas. Tonga, então, puxou a corda, fechou a janela e saiu por onde havia entrado."

"Não sei se tenho algo mais para lhes contar. Eu ouvira um barqueiro falar da velocidade da lancha de Smith, a *Aurora*, então pensei que ela poderia ser útil para nossa fuga. Fiz um acordo com o velho Smith e lhe daria uma grande soma se ele nos levasse em segurança até nosso navio. Ele sabia, sem dúvida, que existia algum parafuso solto, mas não estava interessado em nossos segredos. Tudo isso é a verdade, e se lhes conto esse relato, não é para diverti-los, pois não me fizeram bem em troca, mas é porque acredito que minha melhor defesa é simplesmente não esconder nada, e deixar que o mundo saiba o quanto fui prejudicado pelo major Sholto, e como sou inocente na morte de seu filho."

– Um relato muito notável – afirmou Sherlock Holmes. – Um desfecho adequado para um caso extremamente interessante. Não há nada de novo para mim na última parte da sua narrativa, apenas o fato de que trouxe sua própria corda. Isso eu não sabia. Aliás, eu tinha esperanças de que Tonga tivesse perdido todos os dardos; mas ainda assim ele conseguiu atirar um em nossa direção a partir da lancha.

– Ele havia perdido todos, senhor, exceto o que estava na zarabatana naquele momento.

– Ah, é claro – disse Holmes. – Eu não havia pensado nisso.

– Existe algum outro ponto sobre o qual gostaria de perguntar? – indagou o prisioneiro, de modo afável.

– Acho que não, obrigado – respondeu meu companheiro.

— Bem, Holmes — explanou Athelney Jones –, você é um homem em busca de divertimento, e todos sabemos que é um apreciador de crimes, mas dever é dever, e eu fui um pouco longe demais em fazer o que você e seu amigo me perguntaram. Vou me sentir mais à vontade quando tivermos nosso contador de histórias aqui seguro a sete chaves. O coche ainda espera, e há dois inspetores no andar de baixo. Sou muito grato aos dois pela assistência. Claro que serão convocados para o julgamento. Boa noite.

— Boa noite aos senhores — despediu-se Jonathan Small.

— Você primeiro, Small — apontou o cansado Jones ao deixarem o cômodo. — Vou cuidar especialmente para que não use a perna-de-pau para me acertar como um porrete, como você acabou fazendo com o cavalheiro nas Ilhas Andamãs.

— Bem, e aí está o fim do nosso pequeno drama — observei, depois de termos passado algum tempo fumando em silêncio. — Receio que essa possa ser a última investigação na qual eu terei a chance de estudar seus métodos. A srta. Morstan me concedeu a honra de me aceitar como futuro marido.

Ele soltou o mais tristonho dos gemidos.

— Eu já temia por isso — respondeu. — Realmente não posso lhe dar os parabéns.

Fiquei um pouco ofendido.

— Tem alguma razão para não ficar satisfeito com a minha escolha? — perguntei.

— De forma alguma. Acho que ela é uma das moças mais encantadoras que já conheci, e poderia ter sido muito útil nesse tipo de trabalho que temos feito. Tem um gênio decidido neste aspecto: veja a forma como preservou aquele mapa de Agra de todos os papéis de seu pai. Mas o amor é algo emocional, e tudo que seja emocional se opõe àquela verdadeira razão fria que eu coloco acima de todas as coisas. Não devo me casar nunca, pois não quero enviesar meu discernimento.

— Confio — disse eu, rindo — que meu discernimento deve sobreviver à provação. Mas você parece cansado.

— Sim, a reação já começa a tomar conta de mim. Vou ficar mole como um trapo por uma semana.

— Estranho — observei — como períodos do que, em outro homem, eu chamaria de preguiça se alterna com seus ímpetos de energia e de vigor esplêndidos.

— Sim — ele respondeu —, há em mim os ingredientes da atitude de um sujeito muito indolente e também os de um bem ativo. Muitas vezes penso nessas linhas do velho Goethe: *Schade, daß die Natur nur einen Mensch aus Dir schuf, Denn zum würdigen Mann war und zum Schelmen der Stoff*[15]. Aliás, a propósito desse caso de Norwood, veja que eles tinham, de acordo com a minha conclusão, um aliado dentro da casa, que não poderia ser outro que não Lal Rao, o mordomo: portanto, Jones tem a honra indivisa de ter capturado um peixe no arrasto de sua grande rede.

— A divisão parece um pouco injusta — apontei. — Foi você quem fez todo o trabalho. Eu ganhei uma esposa; Jones ficou com o crédito; ora, mas o que sobra para você?

— Para mim — resumiu Sherlock Holmes —, ainda resta o frasco de cocaína. — E ele estendeu a longa mão branca para pegá-lo.

---

15 Do alemão: "Pena que a natureza fez de você apenas um homem, pois havia tecido o bastante para fazer um homem bom e um bandido". (N.T.)